TRAPPED IN A VIDEO GAME

勇敢者游戏

4 勇闯绝命岛

〔美〕达斯廷·布雷迪◎著

〔美〕杰西·布雷迪◎绘　　石若琳◎译

U0642851

北京科学技术出版社
100 层童书馆

TRAPPED IN A VIDEO GAME (BOOK 4): RETURN TO DOOM ISLAND by DUSTIN BRADY AND JESSE BRADY

Copyright © 2018 Dustin Brady

Cover art and design by Jesse Brady

This edition arranged with ANDREWS MCMEEL PUBLISHING through BIG APPLE AGENCY, INC., LABUAN, MALAYSIA.

Simplified Chinese edition copyright:

2024 Beijing Science and Technology Publishing Co., Ltd.

All rights reserved.

著作权合同登记号　图字：01-2024-1540

图书在版编目（CIP）数据

勇敢者游戏 . 4，勇闯绝命岛 /（美）达斯廷·布雷迪著；（美）杰西·布雷迪绘；石若琳译. —北京：北京科学技术出版社，2024.5（2024.9 重印）

书名原文：Trapped in a Video Game：Return to Doom Island

ISBN 978-7-5714-3656-8

Ⅰ . ①勇…　Ⅱ . ①达…②杰…③石…　Ⅲ . ①儿童故事—作品集—美国—现代　Ⅳ . ① I712.85

中国国家版本馆 CIP 数据核字 (2024) 第 028250 号

策划编辑：徐乙宁		邮政编码：100035
责任编辑：张　芳		电　话：0086-10-66135495（总编室）
责任校对：贾　荣		0086-10-66113227（发行部）
营销编辑：侯　楠		网　址：www.bkydw.cn
图文制作：天露霖文化		印　刷：三河市华骏印务包装有限公司
封面设计：包荽莹		开　本：880 mm × 1230 mm　1/32
责任印制：吕　越		字　数：83千字
出 版 人：曾庆宇		印　张：5.375
出版发行：北京科学技术出版社		版　次：2024年5月第1版
社　址：北京西直门南大街16号		印　次：2024年9月第2次印刷
ISBN 978-7-5714-3656-8		

定　价：32.00元

目　录

前情提要

　　"星球大战"系列电影是唯一一部可以从第四部开始看的作品。该系列的第四部是《星球大战4：新希望》，它堪称经典，哪怕你不看前三部也能完全看明白。当然了，看完前三部你能更清楚地知道为什么大家都讨厌加·加·宾克斯①。但这套书和"星球大战"系列电影可不一样，你如果从第四本开始读，会因为不知道前因后果而一头雾水、十分恼火，很可能还会在网站上给它写个差评。要是你读完前三本已经有一段时间了，可以通过下面的介绍简单回顾一下之前的内容。

　　本系列的第一本讲的是地球上的一个小男孩杰西·里格斯比误打误撞进入了电子游戏《火力全开》的世界。

---

① "星球大战"系列电影中的人物，曾遭同胞驱逐。——译者注

要知道，杰西从来不打游戏，这简直令人难以置信。在游戏世界中，杰西和好朋友埃里克·康拉德联手与像大螳螂一样的外星人、房子那么大的沙子怪，以及疯狂面具怪巴格其勒激烈对战。最终，他们在同班同学马克·惠特曼的帮助下，成功逃出游戏世界。可惜，马克为了掩护他们，仍被困在游戏世界里。

在本系列的第二本中，杰西和好朋友埃里克为了营救马克，闯进了超级生物软件公司一款类似于《宝可梦GO》的手机游戏——《疯狂怪兽》的世界。两个人不仅要和游戏世界中的怪兽展开搏斗，还要应付这一切的始作俑者——超级生物软件公司的董事长杰弗瑞·德尔菲诺。在同班同学查理的爸爸格雷戈里先生的帮助下，他们终于把马克从游戏世界中救了出来。然而，在营救马克的过程中，他们破坏了超级生物软件公司的系统，游戏世界里的所有怪物和机器人都跟着来到了现实世界。

在本系列的第三本中，超级生物软件公司制作的游戏中的机器人在现实世界搞起了破坏。它们在小镇里到处设立游戏关卡，把下水道、废旧工厂和游乐场都变成了让人毛骨悚然的战斗基地。更糟的是，埃里克还被当作"公主"掳走了。杰西、马克和来自澳大利亚的女孩萨莉，以及无人机罗杰团结协作，才帮助埃里克摆脱了被机器人制造的火箭带去月球的命运。大家最后都平安无事，格雷戈里先生还特意找到杰西，询问他有没有和别人提过"董事会"的事。这确实有点儿奇怪。更离谱的是格雷戈里的儿子查理。他认定救了马克之后回来的"格雷戈里先生"不是自己的爸爸，而是一个机器人。如果查理说的是真的，那真正的格雷戈里先生去哪儿了呢?

01
大摆锤

"你这是想让我吐啊！"

"说什么呢！当然不是了！这个可有意思了！"我一边说，一边推埃里克去坐大摆锤。

"这可不是什么有意思的项目！为什么游乐场里会有这种东西！"埃里克一边说一边反抗，"这就是个催吐的机器！真的，发明它的人就是为了让别人呕吐！"

埃里克的话不无道理。你要是想知道"在一分钟内人体能承受多少次翻转"，去坐一下游乐场里的大摆锤就能知道答案。这个东西的双人吊舱摇摇晃晃，运动轨迹变幻莫测。舱里的内饰面还都是硬硬的金属，人撞上去会很疼。总体来说，大摆锤确实不算什么好玩的项目。

我笑着把票递给了游乐场的工作人员，这个漫不经心的青年打开了门，我们走向了这台大机器。

"杰西！你没听见我在说什么吗？罗杰，你快帮我劝劝他啊！"

噼噼！噼噼！

罗杰是游戏《超级机器大世界》中的无人机。由于软件公司的系统故障，它和其他游戏角色一起来到了现实世界。我们能够救出埃里克，罗杰功不可没。在它的帮助下，我们打败了巨大无比的戈利亚特龙。要是你不知道之前的事情，可能会看得摸不着头脑。这一切都是我们的真实经历，你可以看看前面的故事。

后来，罗杰为了掩护我，被戈利亚特龙击中，摔成了碎片。好在查理的爸爸——格雷戈里先生用旧零件修复了罗杰。这样一来，罗杰就能一直陪在我们身边了。

它不是在我家就是在埃里克家，总是噼噼地叫着，跟着我们。有这么一个高级宠物，我们成了这一带的"红人"，有的小孩特意穿过好几条街来找我们玩，就是为了看我们怎么逗罗杰，让它表演自己的拿手好戏。现在，罗杰正在展示它常用的一招：在空中前后摇晃着发出吓人的声音。

"看见没有，罗杰也觉得这东西不好玩。"埃里克说着，转身就想离开。

"罗杰，你在这儿等一下，我们马上回来！"我从后面一把抓住埃里克的衣服，把他拖进了大摆锤的吊舱。木已成舟，埃里克再怎么反抗也来不及了。

"祝你们好运！"游乐场的工作人员说着，给我们关上了吊舱门。玩一般的项目，他们说的都是"尽情玩""玩得愉快"之类的，或者嘱咐一句"注意安全"。这句"祝你们好运"让我不禁有点儿害怕，只能深吸一口气让自己平静下来。不然还能怎么办？

工作人员回到控制室，按动按键把我们的吊舱升了起来，好让别的吊舱上人。我随即转身对埃里克说："其实我拉你来坐这个，是想单独和你说点儿重要的事情。"

"天哪！如果是这样，在我的房间或者你的房间说不行吗？在哪里说不行啊，非得把我拉到这个只会让人呕吐的机器上来说！"

"你先听我说。黑匣子爆炸后，你有没有觉得格雷戈里先生不太对劲？"

　　埃里克皱了皱眉头："我也说不好，那都是两个月以前的事情了。他本来就奇奇怪怪的，不是吗？科学怪人都这样啊！"

　　"你还记得咱们得救后他说的第一句话是什么吗？他没有问咱们怎么样，也不关心到底发生了什么事，而是打听咱们有没有向别人提过董事会的事。"

　　"是啊，那又怎么样？"

　　"咱们根本不知道董事会到底是什么地方，他问我们这个，你不觉得奇怪吗？"

　　"说不定他是想保护咱们。"

　　"如果不是呢？"

　　埃里克用奇怪的眼神看着我。吊舱咔嚓作响，又上升了一截。我深吸一口气，把查理的推测告诉了埃里克。查理觉得回来的人不是他爸爸，而是一个和他爸爸一模一样的机器人。当然了，我知道这听上去很不可思议，也准备花时间和埃里克好好解释，好让他相信我。可我没想到的是，我刚讲了没几句，埃里克就决定和我一起展开侦查。在他看来，没有什么比拆穿敌人的阴谋更刺激的了。

"这真是脑洞大开啊！"埃里克惊呼，"太疯狂了！"

他睁大眼睛，显然还在努力消化这件事。最后一个吊舱也坐上了人，这意味着疯狂旋转就要开始了。

"但是，为什么呢？"

"我猜那些西装男带走了真正的格雷戈里先生，然后派这个机器人过来看住咱们，确保咱们不乱说话。"

埃里克正要点头，大摆锤启动了。在强大的作用力下，他的下巴都快撞到自己胸口上了。只听埃里克喘着粗气说道："等一等，如果查理的爸爸是一个机器人间谍……"他话说到一半时，吊舱连着翻滚了四次。"他修好了罗杰……"又是两次空中翻滚。我等着埃里克把话说完。"那罗杰难道也是间谍？"

"我就是这么想的。"

不知道埃里克是接受不了这个现实，还是被大摆锤晃得太难受了，总之，他整张脸都绿了。"为什么啊？"他用嘶哑的声音说，"为什么……他们……"

看他这么难受，我赶紧接着说："我也不知道为什么他们要监视咱们。大概是他们有什么不可告人的阴谋，害怕咱们会影响他们。"

埃里克一只手紧紧抓着我的胳膊，另一只手扶着吊舱门。"天哪！"他充满绝望地看着我，"你既然计划带我来坐这个，先前就该拦着我，别让我买糖油饼吃！"

"啊，我还真是没想到，不好意思啦。"

谢天谢地，大摆锤终于慢慢停了下来。"那你有计划了吧？"埃里克脸色苍白，缓慢地说出了这句话。

当然，我已经想了好几周。我咧嘴一笑："咱们这次的行动代号是'JHG'，就是'救回格雷戈里先生'前三个字拼音的首字母。要对付这些家伙，首先得……"

"首先得干什么啊？"

我看向吊舱外面的罗杰，它也正看着我们，还伸出小爪子挥了挥。

"首先咱们得再坐一次大摆锤。"

"我真是受够你了！"

02

捉迷藏

　　两天后，我和埃里克相约去查理家，开始我们 JHG
行动的第一步——玩捉迷藏。我既紧张又激动，前一晚
几乎没怎么睡，行动之前已经开始冒虚汗了。埃里克则
截然相反，他活力四射，就像赢得了迪士尼乐园的门票
一样。而且，尽管我极力反对，他还是戴了一块"间谍"
手表。

我们走到门廊上，罗杰按响了门铃。仅仅几秒钟后，格雷戈里先生就打开了门。看到是我俩，他满脸笑容地说："杰西、埃里克，能见到你们真是太好了！还有你，罗杰！"罗杰也很激动，噼噼叫着在半空中翻了个跟头。

"你好，格雷戈里先生。查理在家吗？他和我们约好一起玩捉迷藏。"

"当然在了，我去喊他！"格雷戈里先生往屋子里走时还问了一句，"要不要来点儿冰激凌？"

"太好了！谢谢！"埃里克说。

格雷戈里先生冲我们打手势，表示马上就来。他挑了挑眉毛，然后走进了厨房。

埃里克看着他的背影，脸上写满了不可思议，似乎在惊讶地问"你觉得这是个机器人？"。自从开始怀疑格雷戈里先生的身份，这是埃里克第一次来他家。可是，我在这之前已经来过三次了。还记得第一次来的时候，我也和埃里克有一样的想法。毕竟，和查理在学校的浴室聊完后，我想象的机器人应该和迪士尼"总统殿堂"里的一样，动作不连贯。

可眼前的格雷戈里先生看上去就是一个普通的中年男子，和所有同学的爸爸都差不多。他既热情又幽默，并且记忆力超级好。有一次，格雷戈里先生甚至因为吃冰激凌吃得太快，出现了那种被冰到牙疼的表情。但这一切都只是表象。

来查理家的次数多了，我感觉格雷戈里先生越来越奇怪。打个比方，他眨眼特别用力，好像不使劲，眼皮就合不上一样。而且，格雷戈里先生眨眼似乎是有规律的，如果用心观察，就能发现他每隔五秒肯定眨一次眼。五、四、三、二、一，眨眼，五、四、三、二、一，再眨眼。除此之外，他还总是说"想必是"；每次看书，都得舔一下手指再翻页，翻每一页时都要这样。他还动不动就去卫生间，在里面待好长时间都不出来。

当然了，我也明白，上面的这些疑点似乎不足以证明这位格雷戈里先生就是一个机器人。说不定有的大人就是这么奇怪。正因如此，我们今天才特意约在查理家玩捉迷藏。要想了解一个人的家里藏了什么，没有什么比玩捉迷藏更好的办法了。如果发现查理家有什么证据能证明这个家伙是机器人，我们就能直接报警了。

为了能在格雷戈里先生和罗杰的双重监视下完成任务，我们还设定了暗号。"腌黄瓜"代表"很好"，"金枪鱼"代表"有危险"，"捕鼠器"则代表"把机器人引出去，我有了重大发现"。

查理来迎接我们的时候，脸上挤出了一个大大的假笑。我能看出来，他也和我一样紧张得直冒汗。"嗨，伙计们！怎么样？腌黄瓜，对吗？"（现在回想起来，我们应该换个暗号，而不是这么生硬地展开对话。）查理说着，还试图跟我击拳，但是因为太过紧张没有表现好。我抓住他的手，示意他"不要激动"。

"对了，咱们现在就玩捉迷藏怎么样？"我生硬地说道，就像在按提词器念词。

"好啊！"查理和我一样不自然。

"你们可要小心了。"埃里克说，"玩起捉迷藏来，没人比我更厉害。"

在接下来的半个小时里，埃里克用自己的实际行动向我们证明了，刚才他说的话是天下最大的谎话。他不仅找不到可以证明格雷戈里先生是机器人的证物，还丝毫不掩饰自己的真正意图。第一轮是我来找人，当我在厨房"找到"埃里克的时候，他并没有找个地方藏起来，而是在光明正大地翻着橱柜和垃圾桶。为了避免埃里克使整个行动暴露，我们一致决定只让他负责找人。也就是说，由埃里克和罗杰来找我和查理，我们两个则趁这个机会，搜索房子里的所有角落。

终于没有埃里克碍手碍脚了，但我们的搜索行动还是不怎么顺利。每次我刚准备有所动作，查理的弟弟查思嘉和妹妹查恩、查蒂就会突然冒出来。

"嘿！你在这儿干什么呢？"查恩正好撞见我在娱乐区翻电线。

"星球大张！"（星球大战）查思嘉发现我藏在床底下，想把手里的光剑玩具递给我，"星球大张！星球大张！星球大张！"

"啊啊啊啊！"我刚藏到儿童房里，又被他们家蹒跚学步的小妹妹大叫着暴露了行踪。

……

最后，实在想不到什么藏身之处，我只能藏到卫生间浴帘后面的浴缸里。不出所料，我刚进卫生间没多久，就有人进来了。听到关门的声音，我先是尴尬地看了几眼浴缸的排水孔，又赶紧闭上眼睛、屏住呼吸，一动也不敢动。可以想象，上厕所的时候发现有一个人坐在浴缸里，是一件多么吓人的事情。万一进来的是查理的弟弟妹妹就更糟糕了，他们肯定会大喊大叫，弄得尽人皆知，那我就太丢人了。

没办法，我只能静静地等着对方掀开马桶盖，祈祷他赶快离开。但是，那个人没有，听上去他好像在浴室柜里翻找东西。查理家的浴室柜很高，进来的肯定不是他的弟弟妹妹。想到这儿，我透过浴帘偷偷向外瞧。

进来的居然是格雷戈里先生。我赶紧往后缩了缩身子把自己藏好，只探出一点儿脑袋偷偷观察着外面。很明显，他是在找东西。我们可能马上就会有重大发现！我努力睁大眼睛，想看个清楚。只见他从浴室柜里拿出来……一把电动剃须刀！

躲在朋友家的卫生间里偷看他爸爸刮胡子，我还真是世界"顶级"间谍。想到这里，我哭笑不得，觉得自己蠢透了。

等一等，格雷戈里先生这是在做什么？

他没有像正常人刮胡子那样打开剃须刀的开关，而是把剃须刀的充电线拔了下来。接下来的一幕，堪称我的童年阴影……

03
Raul Ludbar

"金枪鱼！"我在脑海里嘶喊着表示有危险的暗号，
"金枪鱼！金枪鱼！金枪鱼！超级超级超级金枪鱼！"

我一时间感觉胃里翻江倒海，不知道该往哪里跑，
只是愣在原地。只见格雷戈里先生掀开右手食指上的皮
肤，露出了里面黑色的插孔。他把充电线接口插入插孔
后，嘴巴突然开始一张一合，一开始速度比较慢，后来

开始疯狂加速，越来越快。最后，他还打了个手势、挑了挑眉毛——这两个动作看上去怎么这么眼熟？等一下，他是在重演这一天发生的事情吗？难道他是先把所有发生的事情记录下来，再发送到别的地方去？

　　完成标志性的挑眉动作过后，格雷戈里先生突然停止了所有的动作，眼睛瞪得大大的。我不禁倒吸了一口凉气。大概是听到了声响，他怔怔地盯了几秒镜子，然后把头转了过来。我赶紧把头缩到浴帘后面。透过一层薄薄的浴帘，我可以看到格雷戈里先生的轮廓。他打量着花洒，足足有十秒钟。我屏住呼吸，一动也不敢动。既然我能看到他，他是不是也能看到我？想到这儿，我的心都提到了嗓子眼，我随时准备在他拉开浴帘后大喊"金枪鱼"呼救。但是，他只是看了一会儿，就把剃须刀和充电线收好，走了出去。

　　听到关门的声音，我才放松下来，但还是大口喘着粗气，无法平静。过了足足一分钟，我才调整好呼吸，偷偷把充电线从浴室柜里拿了出来，然后溜出了卫生间。

　　"星球大张！星球大张！"

　　突然响起的声音吓得我跳了起来，原来是查思嘉，他站在门口拿着光剑冲我比画着。

　　"住嘴！"我赶紧往楼下跑，祈祷不要再碰到搅局的小朋友。我刚走到楼梯口，就看见埃里克在厨房里专心地吃着冰激凌，完全不在意周围发生的一切。

"埃里克！"我上气不接下气地喊道。

"不好意思啊。"埃里克嘟囔道，"格雷戈里太太刚买回来的'麋鹿踪迹'冰激凌上面撒着软糖，我应该喊你一起吃的，可你知道，我最喜欢吃这上面的软糖了。"

"查理在哪儿呢？"

"我刚开始吃冰激凌，刚才一直在忙着找……"

就在这时，查理也走进了厨房："怎么了？"

"'麋鹿踪迹'软糖冰激凌！"埃里克说，"你妈妈买的！"

"这个挺好吃，是不是？"另一个声音飘了过来，格雷戈里先生从角落里走了出来。

我顿时起了一身鸡皮疙瘩："伙计们，我想……"

"好了，杰西，别生气了，我下次不这样了。"

埃里克扭头和查理解释道："他生气了，嫌我在这儿吃冰激凌不去找你们。但这可是'麋鹿踪迹'冰激凌，上面还撒着软糖，又不是每天都能吃到！好了，杰西，我帮你们把冰激凌从冰箱里拿出来，快坐下来享用美味，什么都别想了。"

"好的，我没为这个生气。"我说。

"那你是怎么了？"埃里克一边问一边走到冰箱前面。我还没来得及回答，他的注意力就被冰箱上贴着的邀请函吸引过去了。

"我说查理，这个叫 Raul Ludbar（劳尔·卢德巴）的家伙是谁啊？"

查理一脸懵地抬头问道："什么？"

埃里克指着冰箱上贴着的邀请函说："这个叫 Raul Ludbar 的邀请你去参加惊喜派对。这不是咱们班的同学吧？反正没有邀请我。杰西，有个叫 Raul Ludbar 的请你去参加派对了吗？"

埃里克说的话我一句也不想听，于是赶紧走到他身边摇晃着他的肩膀说："埃里克，你听我说。"这才换来两秒的安宁。

我盯着他的眼睛，认真地问道："要不要玩捕鼠器的游戏？"

没想到他完全没有反应过来："你是说那个游戏棋吗？我不太想玩。"

我紧紧盯着埃里克，想给他点儿暗示。过了好几秒钟他才反应过来。"哦哦哦，"他难掩脸上的失落，"可是……我的冰激凌还没吃完呢。"

"我帮你放到冰箱里怎么样？一会儿可以继续吃。"

埃里克叹了口气，转身对格雷戈里先生说："格雷戈里先生，罗杰高空转圈俯冲的动作太帅了，能不能教教我怎么才能让它这样？"

格雷戈里先生听到这儿，整个人都精神了："第四百五十九号绝招！确实很不错！走吧，咱们到后院去，我教你怎么指挥罗杰。"

"真是太好了！"埃里克嘴上这么说，脸上却写满了不情愿。

埃里克和格雷戈里先生走了出去，罗杰噼噼叫着在后面跟着。听到关门的声音，我赶紧把充电线掏了出来："查理，你看我找到了什么！这就是证据！"

"真不错。"查理回应道，神情却十分恍惚。

"我撞见你爸爸——不对，我是说那个机器人把自己手指上的皮肤掀了起来，然后把充电线接口插到了手指上！这是我遇到的最令人毛骨悚然的事情了！"

"是吧？"查理随口应和道，但还是怔怔地望着冰箱的方向，完全没有看我。

"嘿！你没事吧？"我说着拍了一下查理，"咱们找到证据了，把这个交给警察，就能找到你爸爸了！"

"咱们还是先别报警了。"

"为什么啊？"我惊讶极了。

查理没有理我，我顺着他的视线看去，想搞清楚是什么让他如此恍惚。

原来，查理在看冰箱上的邀请函。我瞥了一眼那张邀请函，它看上去很普通，上面画着一个卡通机器人，机器人手里拿着好多气球，面前还放着一个生日蛋糕。机器人伸出一根手指放在嘴巴前面，做着"嘘"的动作，旁边的对话框中写着"这是一个惊喜！"。

查理双手颤抖着拿下了冰箱上的邀请函："这好像是我爸爸传来的信息。"

04
情报传递点

整整一个下午，查理都没有再提邀请函的事，只是告诉我他需要检查一下家里，我们明天再去秘密基地会合，交流搜集到的信息。第二天，我早早带着埃里克来到了学校旁边小公园的游戏广场，那里的游戏堡就是我们的秘密基地。

在去和查理碰头的路上，埃里克用间谍手表打了几个字给我看，正好赶上罗杰回过头来。他因此得意扬扬，向我吹嘘着："还是间谍手表用处大。"

我无奈地摇了摇头，间谍手表也许是有点儿用处，但要是突然冒出一个机器人来，把手表抢了过去，敌人就能掌握我们所有的对话了。我可不想这样。我认为，有重要情报需要交流时，必须去情报传递点——这可是一个专业术语。据说，真正的间谍都会在敌人的眼皮底下把重要情报留在一个地方，等着同伴去找。不是我吹牛，看到这里，你是不是也觉得我在这方面懂得挺多的？

要想成功交流情报，我和埃里克必须相互配合，来玩一场捉人游戏。捉人游戏和捉迷藏是我们间谍行动中的两个重要手段。哪怕是专业间谍也得为我们的妙招拍手叫绝。"你先来吧！准备好了吗？开始！"我大喊着跑了出去。

罗杰先追着我跑到了游戏广场上、爬上梯子，钻到了一根红色的爬行管道里。它又赶紧折回去追埃里克。它倒是也能跟着进来，但是那样很可能把螺旋桨碰坏，罗杰可不愿意冒这个险。这根红色管道就是我们的情报传递点。管道的塑料内壁上粘着一块别人吃过的口香糖，不知道在这里粘了多久了。我强忍住恶心把口香糖抠了下来。查理在口香糖后面藏了一张叠得很小的纸条，上面只写着九个字：

"赶快来我家。避开罗杰。"

看到这个，我顿时感觉心跳加速，赶紧把纸条放了回去。当务之急是把这个消息告诉埃里克，想到这里，我赶紧爬了出去。

埃里克很快追了过来，我趁着他抓我的工夫冲他点了点头，示意管道里有重要信息。换我来抓人了。"一、二、三……"我一边闭着眼睛慢慢地数数，一边用手摩挲口袋里的一块糖。每次思考的时候，我手里都得拿个东西。避开罗杰，怎么避开它呢？毕竟，没人能跑得过它，它会飞啊。而且，罗杰身上没有开关，我也不能关上它。好不容易数到了十，我转过身大喊道："我要去……啊啊啊啊！"

埃里克就站在我面前，"我有办法了。"他镇定地说着。

"什么办法啊？"

埃里克狡黠地眨了眨眼睛，故意大声喊："我不想玩捉人游戏了。要不要来玩，罗杰？"

*噼噼噼！噼噼噼！*罗杰听了高兴地吹着口哨，在空中转圈。

"来吧。"埃里克说，"让你开开眼界，昨天我们又练了新动作！"

"你这是要干什么啊？"我边追他边压低声音问，"你看到查理的纸条了吗？"埃里克不回答，又眨了眨眼。

我们跑到了公园边上，往前就是马路了。埃里克转过身把手伸了出来："准备好了吗，罗杰？"罗杰停到了他的手掌上，只见埃里克又转了回去，眼睛看向马路。他这是要干什么啊？

大约过了几秒钟，他们都还是保持着一个姿势，我有些不耐烦了："你这是等什么呢？"

埃里克舔了舔手指，把手高高举起，嘴里还念叨着"疾步如风"，像是要举行什么仪式。最后，他终于完成了自己那一套程序，跟罗杰说："怎么样，准备好了吗？"

噼噼！噼噼！

"一……二……三！"埃里克使尽全力，一下就把罗杰朝人行道扔了过去。罗杰面对挑战也不含糊——眼看就要撞到地上了，它飞速转着螺旋桨，在距地面几厘米高的地方停了下来。然后，借助刚才的动力，它以我见过的最快的速度升到空中，然后飞驰到马路上，上演了一出精彩绝伦的——

咣当！咔！咔！咔！

——大撞车。

罗杰专注于自己的表演，没有注意到行驶过来的公交车，它像一只大虫子一样直接撞到了公交车的挡风玻璃上，然后摇摇晃晃地摔到马路上。

"埃里克，你这是要干什么啊？"

埃里克看上去却对这一切十分满意："这就是第四百五十九号绝招啊！"

"你把罗杰扔到了公交车上！要是那些西装男知道了，咱们就要有麻烦了！"

"咱们可以用这个借口去找查理，好让他那个假爸爸忙活一下。趁着他修理罗杰，咱们就可以和查理单独相处一会儿了。"

听到这儿，我停止了怒吼："这……听上去还真不错。"

埃里克冲我挑了挑眉毛，十分得意地说："那当然了。"

我们把马路上散落的零件捡了起来，一股脑塞到了埃里克的书包里，然后骑上自行车准备去查理家。临行前，我还特意观察了一下停车场里的汽车，看看有没有西装男在暗中监视我们，或者有没有直升机偷偷跟着。真令人难以置信，我们就这样骗过了他们！

"杰西！小心！"

我赶紧回过头来，眼看就要撞上一位迎面走来的女士了。我赶紧捏紧了刹车，她也用手推住了我的车把，自行车这才没轧上她的脚。

"太对不起了！"我说着，"我不应该骑着车到处看。"

那位女士冲我摇了摇头，朝自己的小汽车走了过去。我冲着她的背影再次道歉，然后猛踩脚蹬去追埃里克。要是我细心一点儿，就会发现那位女士有点儿不对劲——她没有带孩子，那她来这里做什么呢？

05
绝版游戏

　　我骑车跟着埃里克，听他讲下一步的计划："就这样，如果机器坏人格雷戈里来开门……"

　　"咱们还是叫他 JHG 吧。"我补充道。

　　埃里克瞥了我一眼："这不是咱们的行动代号吗？"

　　"还是这几个字母，但是意思不一样了。而且，机器坏人格雷戈里说起来也太长了，还容易暴露咱们的计划。"

"也没几个字啊。"

"反正比 JHG 长，并且拼音缩写更像是个机器型号，更符合他的真实身份。再说了，这明明不是格雷戈里先生，总是说他的名字感觉怪怪的。就用这几个字母吧。"

埃里克冲我翻了个白眼，"好吧，等他开了门，咱们就跟他哭诉罗杰坏了，等着格雷戈里……"

"是 JHG！"

"等着 JHG 主动提出帮咱们修好罗杰。"

"好的，不过咱们一定要哭吗？直接求他帮忙不行吗？我觉得他会看出来咱们是在装哭。"

"别担心，哭戏包在我身上。"埃里克开解道。

五分钟后，我们的计划开始了。埃里克用他的实际行动告诉我，我俩的"哭戏"的标准完全不同。

"格雷戈里先生！格雷戈里先生，快开门啊！"我们还没走到门口，埃里克就开始哭喊。我用胳膊肘推了他一下，示意他不要这么夸张，没想到他反而喊得更起劲了："罗杰坏了！我们最好的朋友罗杰啊！"

JHG 迅速打开门："我的天哪，快给我看看，哪里坏了？"

　　埃里克把书包里的东西一股脑倒在了门廊上："哪儿都坏了！"

　　JHG 眼睛睁得大大的，一脸不可思议的样子。

　　"罗杰撞到公交车上了。"埃里克努力佯装伤心，却掩饰不住内心的激动。

　　"公交车？"JHG 盯着地上的零件怔怔地说。

　　"您能把罗杰修好吗？"我问。

　　JHG 还是死死地盯着这一地的东西："我的工作室里

还有些备用零件，说不定能用上。"

我们赶紧把地上的东西都捡了起来，跟着 JHG 走到了后院的一间小屋子里。他打开灯，我们看到这里的架子和工作台上放满了各种零件。JHG 拿起手电筒，开始翻一个箱子。

"需要电容器。电容器在哪里？"他自顾自地念叨着。

"是不是要过一会儿才能修好？"

"应该是。"

"那我们能去找查理玩吗？"

"嗯？行啊，当然可以。"JHG 嘟囔着。

我们在后门碰到了查理，他的头发乱得和鸡窝一样，脸色也特别差，看上去肯定是没有睡好觉。

"你们甩开罗杰了吗？"

埃里克咧嘴一笑："他俩都不会来碍事了。"

查理还是谨慎地左右看了看，似乎有点儿发抖："那太好了，跟我来吧。"

我们跟着查理走到了地下室。这里有各种各样的玩具，简直就是孩子的天堂，有正在上课的毛绒玩具和乐高积木块搭建出的不同场景，还有《星球大战》的模拟战场。看到这些玩具，我突然紧张起来："等等，查理，你弟弟在家吗？"

"我妈妈带着他还有妹妹们去姥姥家了。"查理说着，带我们穿过玩具的海洋，走进地下室尽头的一个小房间里。我们三个刚走进去，查理就赶紧锁上门，然后才打开灯。

"天哪！"我和埃里克几乎同时惊呼起来。这间小屋子里也塞满了各种玩具——只不过都是电子玩具。角落里的桌子上堆放着许多旧电脑的零部件，肯定都是格雷戈里先生拆下来的。靠墙的架子上都是废弃的电子游戏卡盒。屋子正中间有一个又脏又破的沙发，前面还摆着一台旧电视。查理打开电视，同时又启动了某个电子游戏。

电视屏幕闪了几下，我们随即听到了游戏的开场音乐，伴随着二十世纪八十年代的游戏前奏，"绝命岛"几个字出现在屏幕上。字的上面垂下来几根藤蔓，一只像素大猩猩抓着藤蔓荡来荡去，还有一个像素小人在旁边冲着大猩猩扔地上的椰子。

埃里克的眼睛一下亮了起来："不会吧，这难道就是……"查理没有理他,埃里克自顾自地拿起一个游戏手柄,眼神中充满了崇拜之情。"这是绝版的'创视9000'吗?天哪,这个手柄非常罕见!"他突然睁大眼睛,"咱们能玩这个吗?能玩《绝命岛》吗?"

真不知道埃里克是怎么想的,查理费尽心机把我们召集到一起,难道是要玩游戏吗?我赶紧转向查理:"你觉得这个游戏和你爸爸有什么关系吗?"

查理深吸了几口气,平复了一下自己的情绪。"我爸爸从小最喜欢玩这个,他总说他之所以想成为一名游戏设计师,就是因为这个游戏。我长大一点儿后,他就经常带着我一起玩《绝命岛》。现在我还记得我俩第一次打通所有关卡时的情景。这几年我没玩过这个游戏,直到看见冰箱上的邀请函,我才突然想起它来。"

"你是说那个生日派对的邀请函吗?"埃里克问。

"Raul Ludbar 是这个游戏的作弊码,我和爸爸玩的时候总是靠这个作弊码获得无限生命。"

"啊,这样啊。"埃里克停顿了一下,"我还是不知道你想表达什么。"

"就是玩某些电子游戏的时候,可以输入作弊码获得额外的装备。这个你懂吧？"

"当然了。"

"我们玩创视游戏时，都会用游戏手柄输入作弊码。"查理说着把手柄从埃里克手里拿了过来，"你看，这里有上下左右的指示，还有 A 和 B 两个选项，重新组合一下就能得到装备了。"

"《绝命岛》里获得无限生命的作弊码特别复杂，必须先按住'右'再选择'A'，然后是'上''左''左'，总之要按上半天。想记住这些复杂的作弊码，必须把它们写下来，或者……"

我突然有点儿明白查理的意思了："或者做成编码，对吗？"

查理点了点头。"邀请函上的'Raul Ludbar'不是谁的英文名，而是我们为了记住作弊码，结合英文中表示'上、下、左、右'的四个单词'up、down、left、right'的首字母做的编码。'R'表示的就是英文中的'right'，也就是'右'键，'a'是'A'这个选项，'u'代表'上'，以此类推，剩下的你就能明白了。"

听到这儿我也兴奋起来："这么说来，是你的爸爸，真正的格雷戈里先生在联系你，让你把作弊码输到游戏里？而且，他不想让别人知道，所以通过派对邀请函把信息传递给你？"

查理点了点头，他又回头看了看，确定门已经锁好了。之后，他就开始用游戏手柄输入他们的作弊码。右、A、上、左……我和埃里克紧张得不行，有种窒息的感觉。终于，他输完了所有的作弊码，伴随着清脆的钟声，电视黑屏了，一个又一个的字冒了出来。

你是一个人吗？

——是的。

——不是。

查理选择了第一个选项。

屏幕上又出现几行文字。

查理，你们都被监视了。即将有一场灾难降临，你要带着家人逃离这里。把他们都带到这个房间里，再输入一遍作弊码。

爱你的爸爸

看到这里，我们都沉默了。查理用颤抖的声音问道："你们说这是怎么回事？"

"能给我看看游戏手柄吗？"我问道，想试一试有没有别的线索。查理把手柄递给了我。

"格雷戈里先生还有其他指示吗？"

查理还没来得及回答，门把手突然开始咔咔作响。他吓得跳了起来："是谁啊……"

门突然打开了，只见 JHG 拿着钥匙走了进来。

06

错过就要从头再来

"孩子们，我已经把罗杰修好了！"JHG 一边喊一边迈着大步走了进来。罗杰跟在后面，落到了他的肩膀上。

"这——这真是——挺快的啊。"埃里克磕磕巴巴地说。

JHG 看了看我，又看了看埃里克和查理，最后视线落在了旁边的电视上。他的眼睛一动也不动，似乎一瞬间就读取了屏幕上的所有信息。我能感觉到他突然之间变得不一样了，他的呼吸越来越缓慢，眼神也变得冰冷，成了一个真正的机器人。JHG慢慢将脑袋转向查理，生硬地问道："作弊码是什么？"

查理看上去就像刚刚挨了一拳，表情极为复杂："这、这就是个游戏。"

"作弊码是什么？"JHG用同样的语调又重复了一遍。

查理沉默了，狭小的屋子里只能听到沉重的呼吸声。

JHG眨了一下眼睛，歪了歪脑袋，不依不饶地问："查理？"他的眼睛变得越来越亮。他眨了眨眼，这回他的双眼变成了红色。然后，他又眨了眨眼。

我打量着四周，想看看能不能逃出去。这间小屋没有窗户，唯一的一扇门前站着JHG——一个凶狠的机器人。要想逃离这里，唯一的办法就是……想到这儿，我看了看手里的游戏手柄。

"罗杰，"JHG死死盯着查理，"我的儿子似乎记性不太好，需要你帮助他回忆回忆。"

罗杰从JHG的肩膀上飞了起来，只见它肚子上的隔层打开，里面伸出了一把电锯。

"不要啊，罗杰！"埃里克绝望地喊着，我能感觉到他看着我，想喊我一起帮忙。但是，现在的我正忙着观察 JHG 的眼睛。终于，他又眨了一次眼。我赶紧按下游戏手柄上代表向右的按键，然后开始倒数。

五、四、三、二、一，眨眼。我按了一下 A，又开始倒数。

罗杰噼噼地叫着，缓缓朝查理逼近。它肚子上的电锯疯狂旋转着，声音越来越大。查理步步后退，已经靠到了墙角。接下来的事情让人不敢想象。我努力保持冷静，把所有注意力都放在 JHG 的眼睛上。他又一次眨眼，我按下代表向上的按键。我不知道这个作弊码到底能起到什么作用，但现在这是我们的唯一出路。如果让 JHG 看见我按下手柄上的按键，哪怕只是用余光瞥到，他那机器脑袋肯定就能立刻搞清楚我的目的。所以，哪怕罗杰的电锯已经快要伤到查理了，我还是要静静地站在那里，全神贯注地等 JHG 眨眼，好输入作弊码。

但是，有个人不打算傻傻地坐以待毙。

"嘿！你这个飞来飞去的蠢东西！看看我的厉害！"

是埃里克。

罗杰根本不打算搭理他。然而，这个小小的无人机做了一个错误的决定。眼看那飞转的电锯就要碰到查理的鼻子了，只听咣当一声，埃里克用尽全身力气把游戏机砸到了罗杰身上。罗杰直接被撞飞了，旋转的电锯还把灯切成了两半。现在，电视屏幕成了房间里唯一的光源。罗杰调整了一下，快速朝埃里克飞了过去。埃里克也不甘示弱，拿起一个旧笔记本电脑当作盾牌，准备和罗杰殊死一搏。

"埃里克！"我惊叫着。埃里克用电脑把罗杰砸到了墙上，但我也因此错过了 JHG 的一次眨眼，没来得及按代表向下的按钮。于是，我只能重新开始倒数。

五、四、三……

罗杰用它那小小的机器爪子，拽着埃里克的胳膊靠向了自己身上的刀片。

……二、一，眨眼。我趁机按下按键，不敢错过 JHG 的任一次眨眼。这是唯一能救埃里克的机会。

砰！

查理像扔飞镖一样，扔过来一个《忍者龙剑传》的卡盒，正好打到了罗杰的螺旋桨上。罗杰在空中失去了平衡，这给查理争取了更多的时间。他捡起地上另外三个游戏卡盒——《俄罗斯方块》《报童》和《泡泡龙》，接连扔了过去。

砰！砰！砰！

查理每次都能打中罗杰，罗杰在空中晃来晃去，不得已把刀片收了起来，以保持平衡，避免坠落。但是，查理可没有放它一马的意思，他直接把《超级马力欧》和《打鸭猎人》的卡盒扔了过去，这给了罗杰致命的一击。罗杰被打到屋子的另一边，摔落在地，正好落在了JHG的脚边。

JHG漠然地看了一下脚边的战友。埃里克此时来了精神，对着JHG挑衅道："怎么？你就这点儿本事啊？"

JHG露出一个邪恶的笑容。只见他的胳膊突然变得特别长，差不多伸出来两米，轻轻松松就抓住了埃里克。我想要尖叫，想要过去帮忙，想把手里的游戏手柄扔到他脸上，好好给他来几拳，好让这个家伙知道我们的厉害。但是不行，只差最后一个字母了，JHG再眨一次眼我就输完所有作弊码了。

……三……二……一，眨眼。

我按下最后一个按键，电视屏幕又黑了，一行字蹦了出来。

所有人抓住手柄，五……

我看向 JHG，他正怒气冲冲地看着埃里克，完全没有注意到电视屏幕上的变化。"这就让你见识见识。"他说着，把埃里克举了起来。

……四……

楼上传来了猛烈的撞击声，听上去有人闯进了查理家。"在地下室！"JHG 冲着上面大喊。

……三……

我左手拿着游戏手柄，右手抓住了查理的胳膊："查理，快抓住埃里克！"

……二……

楼上传来咚咚咚的脚步声，查理拼尽全力拉着埃里克，想帮他摆脱 JHG 的魔爪。

……一……

我右胳膊使劲一拽，把查理拽到了我身上，埃里克也被带到了他身上，我们三个就这么摞在了沙发上。

……再见了。

呼！

　　突然间，我感觉自己的左手像着火了一般，又热又疼。我想扔掉游戏手柄，可不管怎么用力，手都一动不动。实际上，我整个人都动弹不得，只能呆呆地等着这种灼热感从手传到胳膊、再到胸部，最后蔓延全身。周围的一切变得模糊不清，我仿佛在向下坠落。

　　周围一片喧哗，特别吵。我努力集中注意力，想搞清楚到底发生了什么。一群西装男闯了进来，领头的就是我在公园碰到的那位"女士"，他们都用手指着什么东西。我的视线越来越模糊，我眯缝上眼睛，才看清楚他们指着的是一只手，那只手正紧紧抓着埃里克的腿。

"埃里克……"我还没来得及警告他，一切都突然消失了。

07
绝命岛

　　我感觉自己回到了地面上，又等了一会儿，稳定了一下情绪，才慢慢睁开眼睛。唉，没错，就和我想的一样，我们又来到了游戏里。只不过这一回周围的世界都是一块一块的，就像用乐高积木搭建出来的一样——还不是小颗粒积木，而是低龄孩子玩的那种大颗粒积木：灰色的积木是岩石，晃动着的长积木是藤蔓，还有稍小的棕黄色的积木连在我的胳膊上……

"啊啊啊！"

这居然是我的手！看到自己的手变成了这个样子，我忍不住尖叫起来。我的手变成了一块积木，连根手指都没有。我想把双手伸到眼前，好仔细看看它们现在的样子，却发现我的胳膊肘根本不会打弯。这真是太可怕了，我很可能自己一个人跑进了《绝命岛》的世界里，并且变得没有手指和胳膊肘。最糟糕的是，我完全不知道怎么出去，就这么被困在了这里。如果真是这样，就代表我的朋友们还在现实世界中，很可能已经被那些疯狂的机器人抓住了。想到这儿，我赶紧起身四处搜索，想看看周围有没有传送门一类的东西，好把我送回去。

我走到了这一关开始的地方，这儿有一块大岩石。我想翻过这块大岩石，看看有没有出路，但是不管我怎么努力，根本爬不上去。你可能也猜到了，没有手指怎么爬啊。既然不可能爬上去，不妨试试绕过去。我又开始行动，却发现 2D 的《绝命岛》是个横版的动作游戏，我只能前后移动，不能向左移动，也不能向右移动。之前的游戏都是 3D 的，就和现实世界一样，我能到处走走看看。这回在 2D 游戏中就不一样了，在地面上我只能向前或者向后移动。

最后，我终于想到可以跳起来看看，一切才开始有了转机。游戏世界和现实世界不同，在游戏里，我能跳得特别高，差不多就要够到月亮了。就这样，我跳到了大岩石上，却发现后面什么都没有，没有传送门，也没有秘密隧道。

我又习惯性地想把手伸到口袋里，想让自己在琢磨下一步该怎么办的时候手里有东西可以摩挲，但是结果你肯定已经猜到了——我根本没有口袋。望着眼前由一块又一块积木堆砌成的丛林，我陷入了绝望。难道以后都要被困在这里了？

就在这时，我注意到有点儿不对劲，地上又闪现出一些小块。我赶紧蹲下仔细查看。难道这就是我到绝命岛上的第一个敌人？小块越来越多，颜色越来越深，随着叮当一声，这些零星的小块组合成一个人的形状。当然，不是正常的人类，更像是你的小弟弟画出来的那种小人。要是大人看见了，说不定还会夸上一句："你画的猴子真不错！"而你的弟弟则会辩解："我画的是蝙蝠侠。"

总之，这个东西有人形，但又看不出具体是什么。

这个像猴子一样的"蝙蝠侠"站了起来，伸展了一下胳膊，也低头看了看自己的双手，吓得尖叫起来。

我感觉这声音很熟悉，于是惊愕地问道："查理！是你吗？"

查理抬头看向岩石上面："杰西？天哪，这是怎么回事啊？"

"这就是《绝命岛》啊！"

"我知道，但是咱们怎么到这里来了？"

我才意识到这是查理第一次进入电子游戏的世界里，于是赶紧跳到地面上，和他解释道："你爸爸发明了这种技术，让人可以进入电子游戏的世界里。我想他大概是知道外面有危险，才想了这个办法，希望你们一家人都躲到游戏里。"

"为什么你说话的时候嘴巴一张一合，就像'吃豆人'一样？"

查理似乎根本没有在听我说话，只是深陷于惊恐之中。我抓住他的肩膀，希望他能冷静下来。准确地说，是我把和隔热手套一样的双手放在了他的肩膀上。看到这个，查理反而更慌了。我赶紧安慰他："听我说，我也不知道为什么会这样，但是咱们已经到游戏世界里了。你爸爸让咱们进来肯定有他的原因。现在，我需要你冷静下来，告诉我你被吸到游戏里时，有没有抓着埃里克？"

"我……我不……"

查理一时语塞。我盯着他的双眼（实际上，这两个圆形的小豆豆既像眼睛，又像鼻孔），带着他一起深呼吸。"查理，这真的很重要。如果埃里克没能和咱们一起进来，现在肯定是有麻烦了。"

"那是什么啊？"查理尖叫着，伸手指向我的身后。

我回头一看，原来那里出现了一堆凌乱的小块。这让我长舒了一口气，悬着的心也总算放了下来。"你看看这是什么。"我说着，把查理推了过去。几秒钟的工夫，只听叮当一声，这些小块组合到一起，成了第三个方块小人。

"太棒了！"埃里克用他那吃豆人一样的嘴巴惊呼着。他挥了挥拳，还努力往上跳了几次。"我就知道，我就知道，真是太好了！"说着，埃里克高兴地跳起舞来。他跳舞的姿势看上去十分奇怪，因为他全身上下只有臀部在前后摆动。

"太好了，埃里克，我看见 JHG 抓着你，差点儿以为你没能跟进来呢！"我想绕过查理去拥抱一下埃里克。但是，在这个 2D 世界里，这种动作完全不可能。最后，我和埃里克同时跳起，在查理的脑袋上方来了个空中击掌。

"那个家伙？哈哈，"埃里克得意地说着，"他没什么本事，尽管他一直拽着我，但根本拽不动我。"说着，他试图展示一下自己的肌肉。当然了，他没有胳膊肘，根本做不了这个动作。

"你是说他一直拽着你吗？"我问。

"直到我进入游戏时他还不肯放手。"

"你肯定甩掉他了，对不对？"

"我确实一直在踹他。"

"我不是问你这个。"

突然间，我感觉自己心跳加速，又开始紧张起来："我是说，你最后甩开他了吗？"

"这个嘛……"

此时此刻，任何的语言都显得苍白无力。查理那双豆豆眼睁得大大的，再次看向了我的身后。我回过头来，看到许多大块正组合到一起。

08
砰！砰！

"快跑，快跑啊！"

查理跑到了埃里克跟前，我随后也跑了过去。而埃里克只是呆呆地站着，他看着这一堆大方块问："这是什么啊？"

查理使劲推埃里克，希望他能动动："这家伙是来抓咱们的！"

"这是JHG！"我喊道，"游戏手柄把咱们带进来的时候，它正抓着你的腿，所以也跟着进来了！快跑啊！"

埃里克终于搞清楚了状况，开始往丛林里跑。查理紧随其后，而我则在队伍的最后面。这让我充满危机感，毕竟JHG肯定会先抓最后面的那个人。"能不能再跑快点儿？"我冲着领头的埃里克大喊。

查理也提出了自己的建议："对了，我记得这个游戏里的第一个敌人虽然看上去很可怕，但是不难对付。只要咱们跳起来，然后……"

叮当！

我的天哪，它就要出现了。想到这儿，我赶紧把手放到查理肩膀上，压低声音说："他来了，咱们先别出声。"

"啊啊啊啊！"埃里克突然尖叫起来，显然他没搞明白什么叫"先别出声"。

"埃里克，嘘……啊啊啊！"我也知道要保持安静，要是让JHG发现我们就糟了。但是，眼前的怪物太吓人了，让人不自觉地想要尖叫。那是一条一米多高的眼镜蛇，正朝我们飞驰过来。一般的蛇都是爬行或者蠕动的，但是这条蛇就像装了轮子一样，速度极快。

"快跳起来！"眼看眼镜蛇飞驰到了我们面前，查理大喊着指挥我们。就这样，我们三个轻松一跳就躲了过去。我转过身来，想好好看一看游戏世界里的 JHG 是什么样子。很明显，它的形象还不如我们的，在游戏世界里它没有人造皮肤，露出了本来面目——灰色的机器人框架和一双发着红光的眼睛。尽管它的眼睛已经变成了两个小红点，但我还是能看到里面充满了怒火。当它和我四目相对时，我明显感觉到它准备加速冲过来。

"伙计们，它这是要……"

砰！砰！

面对眼镜蛇，JHG 根本没有跳起来的意思，而是直接朝着眼镜蛇撞了过去。就这么一下，眼镜蛇立刻变成了红色，伴随着砰砰的声音，消失在我们眼前。

"蛇是被消灭了吗？"我问。

"算是吧，但这只是暂时的。"查理回答，"它又回到这一关的起点了。"

"这个我们明白，我俩可不是第一次进入电子游戏世界里了。"埃里克说着，示意查理跳到他的前面去。

在接下来的几分钟里，查理带着我们跳过了一条又一条眼镜蛇，躲过了巨嘴鸟扔的炸弹，还教会了我们怎么把鳄鱼的脑袋当踏板跳到河对岸去。我时不时回头看，生怕 JHG 追上来。好在它完全跟不上我们。

我们就这样飞奔着，直到一个深坑挡住了我们的去路。坑的上方有一根垂下来的藤蔓，查理跑到坑边确定了一下坑的深度，然后点了点头。只见他后退几步，开始助跑，到坑边的时候猛地一跳，抓住了上面的藤蔓。他抓着藤蔓来回荡了几下，把自己甩到了坑对面不停移动的平台上，并顺势跳到了对面的平地上。"抓住它，跳过来吧！"

埃里克傻眼了，他两手一摊："怎么抓啊，咱们根本没有手指头！"

"但是，咱们的手好像有磁力，靠近就可以吸住。"查理解释着，"快来吧！一定可以的！"

埃里克点了点头，学着查理刚才的样子后退了几步，趁着藤蔓摆过来赶紧开始助跑。但是，刚跑到坑边，他就来了个急刹车。"不好意思。"埃里克嘟囔着又回去重新开始。

我焦急地向后张望，生怕 JHG 追上来。

埃里克第二次成功起跳，抓住了藤蔓。但是，他在藤蔓上犹豫了太久，错过了跳到移动平台上的最佳时机。他只能往上爬，换个角度再跳。

"不能这样，赶快下来。"查理说。

"这样更容易跳过去。"埃里克回答，"我玩游戏时都是这样跳。"

"不是的，你需要在下面才能借力。"

"要不咱们打个赌吧……"

"快闭嘴，跳过去！"我大喊道。通常情况下，我都不会直接让人"闭嘴"，毕竟这话听上去有点儿粗鲁。但是，现在那个可恶的机器人已经从鳄鱼脑袋上跳了过来，我也管不了这么多了。

"查理，这回你说的还真可能是对的。"埃里克还在那叨叨着，完全没有意识到危险正在逼近。

"在这个游戏里，可能必须得在藤蔓下面才能跳过去。"

"它追上来了！"

埃里克转过头去，正好看到 JHG 迈着大步跑了过来。"我的天哪！"他也来不及争辩了，抓着藤蔓开始摆动，一——二——三，就这么来回荡了几次，等到距离平台足够近时，一鼓作气跳了过去。

　　我也赶紧助跑，还忍不住向后看了一眼。眼看 JHG 的手就要碰到我了，我赶紧纵身一跳。这时候，藤蔓还没有摆过来，但我的腾空速度够快，跳得也足够远，说不定真能躲过这一劫，成功跳到对面去！我使劲伸着手臂，距离藤蔓就差那么一点点了。可惜的是，在《绝命岛》游戏中，差一点点也不行。藤蔓从我手边荡了过去，我也随即掉进了坑里。

　　砰！砰！

09
他们来了

我惊恐地睁开双眼，发现自己又回到了这一关开始的地方。要想成功脱险，我离不开查理和埃里克的帮助，但是现在我们之间有一个怒气冲天的红眼机器人，这可怎么办？我还没来得及细想，就听到"砰！砰！"两声！

不用想，肯定是 JHG 追着我掉到了深坑里，然后跟着回来了。我拔腿就想跑，肩膀却被抓住了。

"嘿！快过来啊！"

我回头一看，谢天谢地，是查理，不是JHG。

砰！砰！

埃里克也来了。

"快点儿，跟上我。"查理说着跳上了标志着第一关的大岩石。我和埃里克赶紧跟了上去。可惜，这上面地方不够大，只能站一个人，我们三个就上演了一场叠罗汉的好戏。我们刚摆好，最下面的查理就不安分起来，开始跳一种奇怪的舞蹈。

"查理，你这是干什么？"埃里克喊，"再这么晃我们都要掉下去了！"

奇怪的是，查理并没有把我们晃下来。只见他跳完舞后就消失了，到了大岩石的后面。

"天哪，你是怎么做到的？"埃里克问。

"弯三次腰，然后抬头看！"查理回答，"这是个绝招，能获得额外奖励。"

埃里克赶紧按照查理的指示跳了一遍，也跟着出现在大岩石的后面。

"真是太棒了！"我听见埃里克在惊呼，但与此同时还有别的声响。

砰！砰！

JHG 终于想明白了，跳到了深坑里。

我刚弯了两次腰，JHG 就瞪着它那充满困惑的红眼睛出现了。事不宜迟，我赶紧弯腰、抬头，完成了全套动作，然后成功躲到了大岩石后面。

我们能从大岩石边上往外瞧，看看外面发生了什么。但是，JHG 可看不见我们，只能在岩石附近前前后后地走。"你说他看见我了吗？"我问埃里克。

埃里克没有回答我，而是兴高采烈地举起了一个发光的球。很明显，他在岩石后面找到了查理说的额外奖励。看着埃里克欣喜若狂的样子，我也忍不住伸出手，想摸摸他的宝球。他像小孩一样一下子躲开了，还把那个球抱到了胸口，生怕我抢去。球碰到埃里克胸口的一刹那，被他的身体吸进去了。埃里克发起了光，并且越来越亮。一阵刺耳的音乐随即响起。

嘀嘀嗒，嘀嗒，嘀嗒。

"快停下来！"我用唇语说。

埃里克两手一摊，表示自己无能为力。他任由身体发出震耳欲聋的音乐声，弄得我们紧张得不行。

嘀嘀嗒，嘀嗒，嘀嗒。

巨大的声音成功地吸引了 JHG 的注意力，它转过身来，盯着大岩石看了一会儿，十分确定这附近有蹊跷。随后，JHG 跳到大岩石上向下看。我们赶紧蹲下，以免被发现。JHG 没发现什么，它拍了拍自己的机器人爪子，从眼睛里射出两道激光，想把大岩石震碎。这简直是太可怕了，真没想到它还有这种能力。

好在埃里克的身体突然停止了发光，也不再继续唱歌。我们一动也不敢动，祈祷 JHG 赶快去别的地方。JHG 还是不放心，又搜查了几遍，才跑进了丛林里。我们终于可以喘口气了，真是有惊无险。"这是怎么回事啊？"埃里克问。

"那是个无敌宝球。"查理回答，"是个非常好的装备，但是要对付疯狂的机器人，这东西确实没什么用。"

我还是不放心，又朝丛林方向看了看："可那个疯狂的机器人一直都在啊。"

"咚咚咚咚咚咚。"

"怎么了，埃里克？"我的眼睛还是看向丛林，想确定外面是不是真的安全了。

"咝咝咝咝咝咝。"

"你有什么话快说，我可没心思跟你打哑谜。"

"咝咝咝咝咝咝。"

"什么啊？"我怒气冲冲回过头来，才发现刚才那"咝咝咝咝咝咝"的声音根本不是埃里克发出的，因为查理正用手捂着埃里克的嘴。我也可以确定这声音不是查理发出的，因为一条巨大的蛇正盘在他的肩膀上。我刚要惊声尖叫，埃里克赶紧捂住了我的嘴。

这条蛇和之前那条"装着轮子"追我们的眼镜蛇看上去差不多，但是个头儿可大多了，长了好几倍。它有点儿像好多商场搞活动时，立在外面的那种超级大的充气吉祥物。但是，没有哪家商场会用这种黑色的大蛇打广告，这么做只会把客人吓跑，对生意一点儿好处也没有。第一关前面一片黑暗，大蛇就盘在查理肩膀上盯着我们，感觉马上就要张开血盆大口把我们吞掉。终于，大蛇的嘴巴动了起来，我感觉不寒而栗。奇怪的是，它没有吃我们，而是说起了话。

"你们好啊。"

　　它的声音太奇怪了。置身于电子游戏之中，有一条大蛇冲我们说话虽然很吓人，但是更吓人的是这奇怪的声音，感觉是把《乐一通》中的爱发先生和小熊维尼的声音结合到了一起。我们三个人面面相觑，一时间不知道如何是好。还是埃里克先打破了僵局，回应道："你好啊，会说话的大蛇。"

　　"查理，我是你爸爸。"

　　电子游戏世界里恐怖的大蛇声称自己是查理的爸爸，说出去谁会相信？游戏世界里的大蛇只可能是小蛇的爸爸。但是，经历了这么多不可思议的事现在我也见怪不怪了。倒是查理自己不太能接受这个现实，他看上去脑袋都要爆炸了。

　　"啊，你好。"查理过了半天才从嘴里挤出几个字来。

　　"查理，还好你平安无事。"大蛇继续说，"我现在看不到你，只能在电脑上打字，通过游戏和你交流。你和妈妈、弟弟妹妹们在一起吗？"

　　"爸爸，你现在在哪儿啊？"

　　"我很好，不用担心。"大蛇回答，"快告诉我他们在吗？大家都好吗？"

"对不起，爸爸。机器人突然来了，然后……"

查理情绪激动，我赶紧替他把话说完："是我提前输入了作弊码。"

"你是谁？"大蛇问。

"我是杰西·里格斯比。当时情况紧急，机器人正要对付我们，没办法，我只能把查理和埃里克带到了游戏里。"

大蛇沉默良久。我能想象格雷戈里先生此刻心情一定很复杂，他需要一些时间来消化这些事情。

"真的太抱歉了。"我继续解释着，"当时我只能想到这一个办法。罗杰露出刀片朝查理飞了过去，那个假扮成你的机器人眼睛都红了，抓住了埃里克……"

"他知道你们进入游戏了吗？"大蛇打断了我的话。

"谁？你是说那个机器人吗？"

"它也跟着进来了。"埃里克说。

大蛇惊呼："跟到这里来了吗？"

虽然大蛇没有任何表情，可我还是从它的话语中感受到了恐慌。

"是的。"我低声说。

"这么说他们已经知道了，"大蛇喃喃自语，"随时都可能找过来。"

"你说的是谁啊？找去哪儿啊？我们要怎么做才能出去呢？"

"游戏通关了你们就能出去，但是出去了也不安全。"大蛇说，"你们需要……"

眼前的大蛇突然僵住了。

"我们需要做什么？"

突然间，大蛇好像出了什么问题，时而消失，时而出现。每次闪现，它似乎都在努力说话："他、他、他、他、他……"

我们凑了过去，想听得清楚一点儿："什么呀？"

大蛇不再闪现，而是完全消失了。关卡前一片黑暗，我们不知道下一步该怎么办。就在这时，它又出现了，给我们留下几个字。

"他们来了。"

10
花生酱便便

"谁来了？"我说着把头转向丛林，那里连个人影也没有。

"嘿！朋友们，"查理说，"咱们是不是要……啊啊啊……"

"查理，你没事吧？"我猛地转身，发现查理一动不动地站在原地，眼睛里充满恐惧，嘴巴保持着刚才的样子，他还在"啊啊啊"地喊着。我这才注意到黑暗部分正在扩大，眼看查理的左手就要被黑暗吞噬了。"快帮帮他！"我指着他的手大喊。埃里克见状，赶紧把查理拽到了一边。

远离了黑暗，查理长舒一口气，缓过神来。"我刚才一动也不能动！"说着，他低下头看了看自己的手——或者说剩下的手。他的手刚才在黑暗中的那部分已经不见了。"天哪，我的手怎么了？"

"你感觉疼吗？"埃里克问。

查理还在喘着粗气，想平复一下自己的情绪。"不疼。"他仔细检查着自己的手，"倒是没什么不舒服的感觉，但是它看上去像个铲子一样。它还能再长全吗？"

我来不及回答，而是盯着眼前的黑暗部分，看着它越来越大。埃里克已经把查理拉了出来，但是黑暗部分还在慢慢向我们靠近。"咱们不能再待在这里了。"我说。查理和埃里克抬起头来，也意识到了问题的严重性，我们赶紧逃到丛林里。

"这会不会是 JHG 搞的鬼？"埃里克说。这时候我们已经跳过了两条蛇。

"我也这么想。"我回答着，弯腰躲过了巨嘴鸟的攻击。过关的同时，我也在琢磨下一步要怎么办。不管是在游戏世界中还是在现实世界中，我们的目标始终没有变过——那就是把格雷戈里先生救出来。但是，JHG一直在身边纠缠，让我们无计可施。我努力思考着怎么才能摆脱这个可恶的机器人。就在这时，查理突然在前面来了一个急刹车。

"有一个问题。"他说。

我向前看了看，发现我们又回到了大坑前。查理举起自己像铲子一样的左手，无奈地说："我可能跳不过去了。"

"你不试试怎么就说不行呢！"埃里克建议。

"确实，但是如果不行，我就又回到这一关的开始了，对不对？可这一关的开始已经变黑了，也就是说，我如果跳不过去，可能就会完全消失。"

这话让我们陷入了沉默。等了一会儿，埃里克突然把查理举了起来。

"你这是要干什么？"查理慌了神。

"还记得咱们最初在电视上看到过什么吗？有个小人

一直在朝大猩猩扔椰子。我也能把你扔过去！"

"可我不是椰子啊！"

"埃里克，咱们先……"

我还没来得及说完，埃里克就像金刚一样，把查理扔过了这个深坑。"怎么样？我是不是很厉害？听我的没错吧！"

"埃里克，咱们必须先商量好再行动，你不能想干什么就干什么啊！"我有点儿生气。

"但这个方案成功了，不是吗？我就是想……天哪，查理去哪儿了？"

我看向对面，发现查理不见了。

"查理！"我忍不住尖叫起来，瞬间被恐惧吞没了。

查理的脑袋从一块石头后面冒了出来。"我在这儿，别担心！我应该先和你们说一声，在这里可以获得额外奖励。"

我和埃里克抓着藤蔓跳过深坑，借助平台和查理成功会合。"那是什么？"刚落地，埃里克就指着前面的洞穴问。

"那是通向第二关的入口。"查理说。

"太棒了！"埃里克说着走了过去。

"等一等。"我提醒道，"JHG 去哪儿了？这半天都没有看到它！"

"是啊！"

"这会不会是它的阴谋，故意让咱们穿过洞穴，它就在出口守株待兔？"

查理听了也停下了脚步，他思索了片刻："那咱们该怎么办？"

"咱们不如将计就计，把它引过来！"我把自己的计划告诉了他们：我和埃里克藏在岩石后面，查理则把脑袋伸到洞穴里吸引 JHG 的注意，将它引到大坑边上。时机一到，我就把埃里克扔出去，将 JHG 砸到坑里。

"我也有个办法。"身后突然传来一个声音。

这可把我们吓得不轻，回头一看，原来那条大蛇又回来了。"格雷戈里先生！"埃里克惊呼。

"时间紧迫。"大蛇说。它动了动脑袋，示意我们向那边看，只见那里出现了一扇门。"赶快进去。"

埃里克想都没想就走了过去。趁着他还没拉开门，我赶紧拉住了他。"JHG 不见了，你却出现了。"我对大蛇说，"你怎么证明你是真的格雷戈里先生呢？"

"快进去，他们随时都可能来。"

这个回答并不让人放心。"你得先证明自己的身份。"查理说。

"查理，听我说。"大蛇回答着，"我正在帮助这群坏人，也就是说……"

"你在干什么?!"查理大喊。

"这是缓兵之计！"大蛇回答，"他们把我关在了这里，用你们的性命威胁我。没有办法，我只能暂时屈服。为了保护你们，我背着他们在不同的电脑上重新设计了《绝命岛》的所有关卡，希望你们能躲到游戏世界里，我再把他们逼着我研发的系统毁了。没想到弄巧成拙，你们被困在了这里，那帮坏人现在正想要消灭你们。"

"所以这一关在逐渐消失，对吗？"我问。

"是的，但只有第一关会这样。因为这一关在我工作的电脑上，他们闯进来发现了。还有一些关卡没被发现，打开这扇门，你们就能到那里。赶快去吧，这样你们就能到一个保险箱里……"大蛇突然又不说话了。

"什么保险箱啊？"埃里克问。

　　我摇了摇头，还是不太相信这条蛇。但是，时间紧迫，黑暗部分已经蔓延到了深坑边上，我们必须赶快做出决定。"你怎么证明你就是格雷戈里先生？"我问。

　　大蛇点了点头，说："花生酱便便。"

　　"什么啊？"埃里克说，"大蛇格雷戈里先生，谢谢你帮助我们，但是……"

　　"花生酱便便。"大蛇重复着，"查理，你想起来了吗？"

查理点了点头。"我记得和爸爸第一次打通《绝命岛》所有关卡后，他带我去吃冰激凌庆祝。当时我想吃花生酱加巧克力块的冰激凌，但是不知道怎么表达，就是感觉里面巧克力的形状有点儿像便便。于是，我一直在柜台前重复'花生酱便便'，说了半天爸爸才搞明白我想要哪种。直到现在，说起这个来我们还会笑。"说到这儿，查理的脸上冒出一大"块"泪珠。

我把手放到了查理的肩膀上，安慰着："查理，可能那真的是你的爸爸。咱们走进那扇门，也许真的就安全了。但是，这么做却不能救他出来。如果咱们按原计划进行，就能消灭 JHG，还有机会救格雷戈里先生。"

"我相信我爸爸。"查理说。

"我也相信他。但是现在，也许咱们应该按原计划行事。"

查理转身对大蛇说："爸爸，我爱你。"

"我也爱你，孩子。"大蛇回答。

听到这句话，查理头也不回打开了那扇门，径直走了进去。

"查理！等一下！"我想抓住他，但是已经太晚了。

那个深坑也消失在黑暗之中。

　　"咱们怎么办啊？"埃里克问。

　　还能怎么办呢？查理走了，我俩也没有别的选择了，只能跟着他一起走进去。

11
《狮子洞》

　　我双脚刚迈进去，就感觉自己漂了起来。天哪，我赶紧伸手去抓门把手，希望能站在地面上，但是门把手已经消失了。实际上，周围的一切都变了样，我只能看见大面积的蓝色和很多色彩斑斓的树。为什么树会有这么多颜色？突然间，一切变得清楚了。我是在水中，而那些"树"，其实都是珊瑚！

这可把我吓得不轻，我赶紧加速往上游，希望能回到水面上。但是，我发现水面上有个顶。我们被困在了一个装满水的洞穴里？我感觉自己的肺都要炸了，只能摸索着洞顶向前游，希望能找个地方换口气。

"杰西！"埃里克在后面喊道。我挣扎着停了下来。每年夏天的时候，我和埃里克总是在泳池里玩同样的游戏——一个人在水下唱歌，另一个人猜他唱的是什么。埃里克每次发出来的声音都是"噗噗噗噗噗"，却总是声称自己唱的是歌，从《铃儿响叮当》到《国际歌》。但是，这一次不同，他在水里的声音是如此清晰，几乎和在陆地上一样。我转过身来，看见查理和埃里克戴着呼吸管、穿着脚蹼跟在我后面，不仅没有窒息，还十分平静。

"在这里你可以正常呼吸。"查理说着，指了指自己的呼吸管。

我摸了摸嘴边，发现自己也有这装备。但仔细一想，我还是摇了摇头。不行，不行不行！呼吸管得伸出水面才有用啊。我可不能犯傻。

"这是在电子游戏世界里。"查理说，"和现实世界不一样。"

我这才吸了一口气，并不是因为我被说服了，而是再不喘气我就要晕过去了。

"怎么样？"查理说，"是不是感觉不错啊？"

终于可以正常呼吸了，我也有力气教育查理了："感觉不错？如果你做决定的时候和大家商量一下，我会感觉更好一点儿！"

"我不是想自己走。"查理解释道，"我是想带着你们一起走。"

"是吗？可是你的所作所为让咱们失去了一次把你爸爸救出来的机会！"

"好了，杰西。"埃里克说，"你先冷静一下。咱们已经到这里了，再想其他办法救格雷戈里先生吧。"

他又扭头劝查理："我们都跟着你进来了，快介绍一下这一关吧。"

查理顿了几秒钟，然后点了点头："这一关特别棒，快跟我来。"

我又深呼吸了几次，加入他们。既来之，则安之。毕竟，这种在水下自由呼吸的机会并不多，不是吗？

查理回过头来，警告道："一定要小心……"

他话还没说完，一个鲨鱼形状的灰色大块从我们下面朝我们发起攻击。查理立刻把呼吸管对准那个家伙，吹出一个泡泡。碰上泡泡的一刹那，它就闪着红光消失了。

"我的天哪，你吹了个泡泡就把鲨鱼消灭了？"埃里克惊呆了。

"这是1986年的游戏了，在当时来说已经很先进了。"查理回答。

埃里克还是难以置信地摇着头："哪怕是以前的……"

我们用同样的方法发射泡泡，又消灭了两条鲨鱼和一条剑鱼。查理指着前面一个百宝箱对我说："快看看这个，杰西，这回你想不想试试无敌宝球？"

刚才我俩拌了嘴，查理这是在向我示好。我明白他的想法，也很高兴自己可以获得宝球。于是，我游过去，一下打开了百宝箱。但是，里面并没有发光的宝球，只有一张纸条。我捡起纸条，大声念了起来：

"查理，如果我出不去，你要知道到底发生了什么。"说完我抬头看了看周围。

"然后呢？纸条上还写了什么啊？"埃里克问。

"只写了这些。"

"前面还有百宝箱，说不定里面也有信息。"查理说。

我们用最快的速度朝旁边的百宝箱游去，查理打开箱子拿出纸条，上面写着"幕后黑手是马克曼·鲁本，他绑架了我"。查理一脸疑惑地抬起头："是《狮子洞》里面的马克曼·鲁本吗？"

我和他一样充满困惑。"应该是吧。"说着我摇了摇头，"这也太奇怪了吧。在节目里这个人确实不怎么样，但那只是个电视节目啊，大家都在作秀不是吗？"

"什么电视节目？"埃里克问，"什么《狮子洞》？"

"就是一个类似《鲨鱼坦克》①的真人秀，一些发明者在节目中说服那些亿万富翁给自己投资。"我回答。我们一边朝旁边的百宝箱游，一边继续向埃里克解释。马克曼·鲁本在节目的绰号是"好好先生"，给他起这么个绰号是为了讽刺他——作为节目组请来的亿万富翁，他是最尖酸刻薄的一个。总是答应投资赞助别人，

① 又称《创智赢家》，是美国的一档真人秀节目，该节目为发明者提供了展示发明和获取赞助的平台。——译者注

然后突然反悔，完全不顾及他人的感受。他还喜欢捉弄人，有一次甚至故意把一个创业者的发明弄坏了。总之，这个人人品差到了极点。看节目的时候我总觉得他像是在试镜，想要扮演动漫里面的超级恶人。

查理用泡泡弹干掉了几只乌贼，然后又打开了一个百宝箱，这次找到的纸条上写的是"马克曼想用我的发明做坏事"。

"做什么坏事？"埃里克抱怨道，"我的天哪，难道咱们要开二百个箱子，才能搞清楚状况吗?！"

"耐心一点儿。"查理说着，从石墙上的缝隙中挤了过去，我和埃里克赶紧跟上他。通过缝隙后，我们进入了管道，在强大的吸力下在管道中来回穿梭。最后，我们落到一间小黑屋里。屋子里也有一个百宝箱。"太好了！"我游过去打开了箱子。

箱子里面却是空的。

"也许里面的纸条掉出来了。"查理说着开始绕着箱子检查。我也用手在箱子里翻找。

这时我无意间低下头，发现自己的双手变得不一样了，居然有了手指。我把手伸到眼前，更奇怪的事情发生了——我的胳膊可以打弯了，也就是说，我有胳膊肘了。"伙计们，这是怎么了？"

查理回头看了我一眼，倒吸了一口凉气。埃里克听到声音也转过身，然后尖叫起来。"你变回原来的样子了！"查理说。

刚才我只有伸进百宝箱的双手变回了原本的样子，现在我的全身已经有皮肤了。与此同时，我感觉胸腔发闷，积木组成的身体也穿上了正常的衣服。我张开嘴想要喘气，却让很多水涌进了我嘴里。

一时间，我在水中不能呼吸了。

12
棉花糖之家

　　查理意识到我就要溺水了，赶紧用自己的积木胳膊拽住我的肉胳膊，把我拖到了另一根管道中。我们从管道的另一头出来，开始疯狂地朝前面游。埃里克负责开路，他用自己的呼吸管干掉了几个敌人——剑鱼，击中！章鱼，击中！鲨鱼……

　　我的天哪！

这条鲨鱼不再是游戏中的样子，它有真鲨鱼的皮肤、眼睛和尖尖的牙齿。很明显，靠泡泡是制服不了它了。

"快点儿啊！"查理尖叫道。

埃里克在水中一个翻身，躲过了鲨鱼。但是，鲨鱼的目标并不是他，它那凶狠的目光一直锁在我和查理身上。

"咱们紧紧挨着。"查理小声说着，我们两个努力贴到了一起。"靠紧点儿、靠紧点儿、靠紧点儿……"查理在上面抱着我，而那条大鲨鱼距离我们只有几十厘米了，只见它猛冲过来，眼看就要咬上我们了。"分开！"查理喊着把我推到了鲨鱼下面，自己游到了上面。

"快点儿！快游啊！"

我们追上了埃里克，查理带着我们找到了一道石墙上的缝隙。埃里克率先钻了进去，然后是查理。我从来都没有憋过这么长时间的气，感觉肺就像着火了一样。我用尽全力朝着墙缝游，还偷偷瞥了一眼后面加速追赶的鲨鱼，挤到了墙缝里。虽然鲨鱼咬下了我的脚蹼，好在我有惊无险逃脱了。

  我们又一次在管道中穿行，我努力让自己想点儿别的，好忘掉胸口的灼热感。火，有火，我的胸口有火……棉花糖！我想到了棉花糖！这种想法帮我缓解了身体上的痛感。我是个烤棉花糖大师！埃里克每次都会把自己的棉花糖烤焦，而我总能烤得金黄。帮别人烤棉花糖的时候我真应该收费，说不定以后我能开个小店，专门卖烤棉花糖——小店的名字就叫"棉花糖之家"吧。小店招牌上吉祥物的名字我都想好了，就叫棉花先生。我还要让员工扮成棉花先生的样子表演魔术，吹很多很多棉花糖形状的气球，每个进店的孩子都能得到气球。这该多么美好啊。

我想象着自己的小店是多么受欢迎，越想越觉得全身瘫软、意识模糊，整个世界都逐渐暗淡下来。我又猛地打起精神，发现管道有一个分岔，一条向上，一条向下。该往哪边去呢？是上面还是下面？我决定去上面，去干燥的陆地上。

但是，我向上游的时候，却发现有东西从下面漂了上来。是棉花糖——甜甜的棉花糖。真奇怪，我刚想到棉花糖，就有棉花糖送上门来，让我可以解解馋。

等一等！这根本不是棉花糖，而是气泡！这些气泡可能是我的两个朋友发出来的，他们还能够呼吸，说不定正在下面等我呢。我得赶快掉头，赶快去下面和他们会合。这时候，我的上半身已经进入通向上面的管道，为了调转方向，我努力晃腿，蹬住了下面的管道。有那么一刻，我就这样卡着，上下两股不同的吸力往两个不同的方向拉扯我。最后，下半身因为长度优势占了上风，我顺着管道滑了下去。

可以暂时放松一下身体了。顺着管道往下游，我的肺也不难受了。但是，我的胸口还是闷闷的，周围的一切又开始模糊起来。我完全不记得自己是怎么从管道里出来，怎么进入另一个水下房间的。我只是隐约感觉有什么东西一直抓着我的脚踝。终于，一切都变黑了，我可以休息了。

13
保险箱

再次睁开眼睛时，我发现自己躺在地面上。周围不再有大面积的蓝色，而是变成了橘色。我试着喘了口气，畅通无阻！天哪！我是回到现实世界了吗？想到这儿，我赶紧把手伸到眼前。唉！手看上去还是像烤箱专用的隔热手套。

"他还活着！他还活着！"埃里克和查理用他们那隔

热手套般的手在我身体上方击了个掌。

"这是怎么回事？"我坐起身问道。

"多亏了查理。"埃里克说，"你当时已经快不行了，他把呼吸管放到了你嘴里，就这么给你送氧气，一直到咱们闯过刚才那一关。"

"但是，你怎么能……"我又低头看了看双手，"为什么我又成游戏角色了？"

埃里克耸了耸肩："到了这一关，你就又变了回去。"

查理解释说："我想那些坏人很可能发现了水中关卡的代码，然后修改了代码。"

我看了看周围，发现我们进了另一个洞穴，这里到处都是火。"难道咱们要从游戏的一关逃到另一关，直到被他们抓住吗？"

"当然不是。"查理回答，"已经没有多少关卡可以逃了，这已经是倒数第二关了。更重要的是，我搞明白我爸爸说的是什么意思了，他说的保险箱是一个安全的地方。"

"他还说刚才那一关安全呢，可杰西差点儿就没命了！"埃里克补充道。

"不，他说的是去保险箱里。"

"他没有提到去保险箱里吧？"埃里克说。

"你想想，他是不是告诉咱们穿过那扇门，就可以到一个'保险箱'里，然后他的话就被打断了。我刚刚才搞明白，他的意思是让咱们躲到这一关最后的保险箱里。"

"什么保险箱，你能说明白点儿吗？"我问。

"我们第一次玩《绝命岛》的时候，爸爸告诉我游戏里有一条秘密通道。这条通道很隐蔽，他从来没听别人讲过，甚至开发游戏的人都不一定知道。简单地说，就是如果咱们能沿着对的地方跳过去，然后赶紧蹲着往前走，就能从墙的某个位置穿过去，进到一个满是游戏奖励的深沟里。但是一旦进去，就出不来了。所以，我们把这个地方称作'保险箱'。"

"这听上去可不是什么好地方。"

"要想打通关确实不能进去，但是要想找个安全的地方躲起来，那里最合适了。"

"咱们不能去那儿。"我说。

"为什么啊？"这话让查理吃了一惊。

我站起来，认真地说："咱们的目标是回到现实世界中，而不是困在某个房间里。而且，再往前走就能继续闯关了。"

"咱们不会困在这里，我爸爸有他的计划。他觉得躲起来对咱们更好，那就是咱们应该去的地方。"

"查理，听我说。格雷戈里先生是个特别好的人，他一心想要保护咱们。但是到目前为止，一切都事与愿违。也许对他来说，能想到的最好的办法就是让咱们躲到那里。是时候靠自己了。"

查理站到我面前，声音都在颤抖："咱们三个加起来都没有我爸爸懂得多。你不能这么说他！绝对不能！你根本不知道他现在经历着什么！"

我努力让自己的语气更平和一些："可是你根本不知道咱们现在在经历什么。这是我第四次进入游戏世界了，这都是拜你爸爸所赐。我受不了了，是时候……"

查理突然推了我一把，打断了我的话。我踉跄着向后退了几步，踩到了一块红色的地砖。霎时间，地面喷出岩浆，我又没命了。

再次出现的时候，我用手指着查理，大步冲他走了过去："你要来硬的是吗？"他看上去很害怕。

"嘿！你们两个，冷静冷静！"埃里克冲我跑了过来。

"埃里克，快停下！"查理大喊。

砰！砰！

太晚了，一只喷射火苗的蝙蝠俯冲过来，消灭了埃里克。重生后，他出现在我身旁。

"都别动！"查理惊恐地喊着，"千万别动！"

他看上去心急如焚："咱们每个人在游戏中只有三条命。你们两个都只剩一条命了。"

"要是三条命都没了会怎么样？"埃里克问。

"会……会回到游戏的起点。"

"但是，这个游戏的起点已经没了。"我突然明白他为什么那么着急了。

我们三个沉默了几秒，查理看上去马上就要哭出来了。"对不起。"他说，"我只是觉得我爸爸一定会尽最大的努力帮咱们脱离危险，你们能理解吗？"

"我们知道。"

"爸爸很信任我，但是我却让他失望了，我没能带着家人逃出来。"

"他没有对你失望，查理。"

"我只是希望他知道，我可以帮助他，也会一直支持他。而且，而且我好爱他。"查理突然滔滔不绝地说着，把心里话都说了出来。一大"块"一大"块"的眼泪顺着他的脸颊滚了下来。

"当那条大蛇说'我也爱你，孩子'的时候，我真的很难受。爸爸好久没有和我说过这句话了。只有我和他说'爸爸，我爱你'，他才会这么回应。我已经很久没有告诉过他我是多么爱他了。我多想再有一次机会，让我告诉爸爸我真的很爱他。"

"查理，看着我！"

查理抬起头。

"你爸爸知道你很爱他，真的！他也知道你能帮到他！不仅如此，你能帮助所有人，你能带我们顺利通关，咱们就快见到你爸爸了。"

"我很久没有玩过这一关了。"

"你肯定行，我们相信你。"

查理沉思片刻，坚定地点了点头："好吧，跟着我。"

我们用了将近一小时的时间才顺利通关。要应付喷火的蝙蝠和喷岩浆的地砖，还要躲过掉下来的火球和会隐身的火焰怪，这绝对不是一件容易的事情。更不用说这期间还有岩浆潮汐席卷过来。有的时候，查理会找个地方站住不动，闭上眼睛回忆片刻，再带我们采取下一步行动。我和埃里克都会耐心等着，按照他的指示去做。

终于通关了，我们都长舒一口气，紧绷的神经也能放松一下了。埃里克突然想到了什么："等一等，咱们还进保险箱吗？"

14

骷髅地牢

我们决定投票，最后二比一，查理输了。埃里克把宝贵的一票投给了我——这倒不是因为他认同我的想法，而是他想玩最后一关，想看看游戏里的终极怪物是什么样的。查理无奈地摇了摇头："我感觉咱们不能这样，但是你俩不愿意进保险箱，我也不能强迫你们。"

"谢谢你查理，"我说，"别担心，我们一定会解决问题的。"

当我们走进通往最后一关的传送门时，我却开始担心起来。万一有什么不测呢？这一关像是一座骷髅地牢，响着恐怖的音乐。这里有转动的锯条、带刺的铁球，还有挥舞着长剑的骷髅大军——刚进来我能看到的危险就有这么多。最令人害怕的，这一关好像有什么故障。就拿转动的锯条来说吧，它本来是上下移动的，到下面的时候，看上去还是积木拼成的，像是游戏世界里的样子；但是，它往上走到一半就变成了真的锯条，锯条上还有无数个锋利的锯齿。我还发现，地面的积木时有时无，每次出现时的拼搭方式都不一样。

查理看着眼前的一切，倒吸一口凉气："还跟上一关一样，跟紧我。"

我们计算好时机，躲过了转动的锯条，又翻滚着避开了飞过来的铁球。马上就要和骷髅大军正面交锋了，埃里克指着洞顶问："咱们怎么才能上去拿那个呢？"我抬头一看，上面是这一关的无敌宝球。

"看我的。"查理说着，跳到了前面的骷髅脑袋上，然后又跳到另一个骷髅脑袋上。借着惯性，他继续重复刚才的动作。跳到第三个骷髅脑袋上的时候，他已经有了足够的动力，往上一跳就够到了无敌宝球。查理拿着宝球跑了回来，放到了埃里克面前。

"太帅了！"埃里克说着，想把宝球放到自己的身体里。"你俩上我身上来，我用宝球带着你们通关。"

"不行！"我打断他的美梦，"每次咱们着急做决定，肯定会出问题。先拿着它，危急时刻再用。明白了吗？"

"唉！"

不幸的是，这一关充满了危急时刻。有两次，洞顶上突然掉下许多大大的尖刺。还有一次，数十把旋转着的、锋利的刀突然从我们头上的墙壁中冒了出来，好在我们足够小心，每次都能侥幸逃脱，并且一直没有使用宝球。与此同时，我们三个人越来越紧张。

还有那让人头疼的系统故障，每当我们燃起希望，觉得自己真能顺利逃离骷髅地牢的时候，大地就开始震动，还会发生一些奇怪的事情。有一次，我正要跳过一个布满尖刺的大坑，系统突然出现故障，我右边的半个身子变回了现实世界的样子。眼前的坑虽然不是特别大，但是变回去一半的我没有了之前的弹跳能力，差点儿跳不过去。幸亏最后我抓住了坑的边缘，算是爬了上去。

"前面还有多远啊？"通过坑后，我问查理。

"就快到了。"另一个声音回答。

我们同时抬起头，只见洞顶的平台上，站着格雷戈里先生，他正在冲我们招手。这时候的他没有任何伪装，就是平时的样子，只不过身体似乎在发光。

"爸爸！"查理大喊。

"快过来，我带你们出去。"格雷戈里先生说。

"爸爸，真的是你吗？"查理问。

"快别问傻问题了，时间不多了。"格雷戈里先生回答。

查理听了就往平台方向迈步，我赶紧一把抓住了他："万一这个是 JHG 呢？"

"那你会来救我的。"查理说着一把甩开了我，大步跑了过去。"爸爸，真对不起，我把一切都搞砸了，我爱你，我想……"

"等一等，你们三个都得过来！"格雷戈里先生说。

"我只是想确定一下……"眼看查理还差几步就要跳上平台了，系统又出了问题，大地突然震动起来，查理也摔倒在地。随即，格雷戈里先生脚下的平台跟着消失了，他掉了下来。他跌落地面的一刹那，我们都倒吸了一口凉气。

躺在地上的不是格雷戈里先生，而是一个有着红眼睛的机器人。

15
故障震波

我和埃里克赶紧跑过去救查理。"用无敌宝球！"我冲着埃里克大喊，"快扔啊！"

埃里克把宝球扔给了查理——至少他是想扔给查理的。但是，现在没有了胳膊肘，埃里克这个动作做得不太到位，就扔出了半米左右。

"你之前能把查理整个人都抛起来，现在怎么扔个球都不行?!"我嚷着。

"这个太小了,不好扔!"

我也来不及生气,赶紧捡起宝球来想扔给查理,却发现这个动作确实不好做。

就在我俩忙着扔球的工夫,查理自己挣扎着跳上了一个平台,这下JHG够不到他了。"伙计们!我在这儿!"

JHG已经把目标换成我和埃里克,它朝着我俩跑了过来。埃里克反应够快,往后一退跳了起来,他学着查理刚才拿宝球的样子,把我的脑袋当踏板,跳到了上面的平台。"用无敌宝球啊,杰西!"埃里克冲我喊。

我刚捡起宝球,还没来得及放到身体里,就发现JHG改变了策略。这时候,它已经跑到埃里克和查理站着的平台下面,把胳膊举过头顶,抓住了平台的边缘,想要借力荡上去。"小心!它要上去了!"我赶紧提醒他们。

就在JHG跃上平台的一刹那,埃里克和查理跳了下来。我们三个再次会合,继续前进。我集中全部注意力紧跟着查理,他敏捷地躲过了墙上冒出来的尖刺,避开了天上掉下来的闸刀。这闸刀可不是闹着玩的,掉在地上把地面都砍出了一道深深的缝。然后，前面又是一个深坑，里面居然跳出来一条剑鱼。好在我们都顺利蹦了过去。（为什么在一个没有水的坑里会窜出来一条剑鱼？我也来不及多想，毕竟现在保命要紧。）

眼看就能甩开后面的JHG了，大地又开始震动，系统又出现了故障。我们停下脚步，想等系统震波过去后再走。但是，这次情况不太一样，一波接着一波，没有停下来的时候。前方的地面都塌了下去，我想往后退，却和查理双双跌倒。大地晃得很厉害，很多地方都开始崩塌，我们两个怎么努力也站不起来——这感觉就像是在蹦蹦床上摔倒了，旁边的人还一直在蹦。没办法，我扔下无敌宝球，开始往前爬。没爬出两步，我身子下面的地面也裂开了。关键时刻有人抓住了我，我才没掉到地缝中。抓住我的是埃里克。

"谢谢了。"大地终于不震动了。

"快别谢我了。"埃里克说着，指向前面，那里出现了一个巨大的深坑。

"不，你真该谢谢他。"我们应声转过头去。这下坏了，JHG真的来了。在系统故障的作用下，它的脸又变回了格雷戈里先生的样子，但是身体还是游戏里的机器人身体。这种结合让人不寒而栗。"我也想谢谢他，这下，我就能继续工作了。"说着，JHG 伸出胳膊，一把抓住了我。

紧要关头，又有闸刀从洞顶掉了下来，把它的胳膊砍成了两半。JHG 自然也松开了我。

"哈哈哈！"埃里克笑着往前走了几步，"又不行了吧！你每次都是这样……"

埃里克话没说完，JHG 就伸出另一只胳膊，抓住了埃里克的脖子。"闭嘴！"

这下真有麻烦了！我赶紧四处张望，看看有什么能帮到我。就在这时，我发现了地上的无敌宝球，只不过宝球

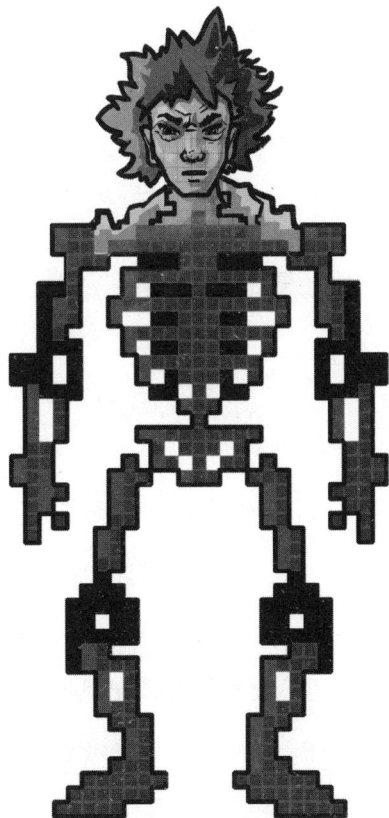

离我有点儿远。

JHG 把埃里克举了起来，就像之前在查理家的地下室一样。"你的话实在太多了，让你闭嘴对大家都好。"

我朝着宝球一点儿一点儿爬，终于够到它了。就在我要把宝球放到体内的关键时刻，JHG 发现了我的意图。

"嘿！"它大喊一声。它抓着埃里克的胳膊伸得更长了，把我也缠住了。

"求求你，别伤害他们！"查理哀求着，朝 JHG 走了过去。

"查理，查理，我的乖孩子。"JHG 说着摇了摇头，"咱们一起度过的时光是多么美好啊！"

"你要抓的是我，不是吗？"查理说。

"咱们一起打打闹闹，一起讲笑话——我就像你的亲爸爸一样，不是吗？事实也是如此，我一直陪着你，甚至比你的亲生爸爸对你还好。"

"不许你再提我爸爸，告诉我你想要什么！"

"我想要你眼睁睁地看着我勒死你的朋友。"JHG 的眼睛闪着红光，我感觉胸口被勒得紧紧的，几乎快要喘不过气了。我想把宝球放到身体里，但是胳膊根本动弹不得。我的视线逐渐模糊，能听到埃里克在喊，查理也在喊，他们的声音交汇在一起，越来越远。突然，查理的叫喊又唤醒了我的意识。只听他大喊：

"爸爸！"

我睁开眼，看到查理的身后有一个巨大的斑点。是那条大蛇回来了吗？我眯缝着眼睛想要看清楚。那不是蛇，而是刚才坑里的那条剑鱼，正在查理身后。JHG一脸诧异："这是……"

它话还没说完，就被剑鱼眼睛里射出的两道激光击中。砰！砰！JHG消失在了我们眼前。

"我的天哪！"埃里克惊呼，"真是及时啊！格雷戈里先生！你救了我们！"

剑鱼看向埃里克，张开了嘴。它的声音还不如刚才那条大蛇的呢，听上去更深沉、更吓人："我不是什么格雷戈里先生。"

话音刚落，它就跳了过来，一下抓住了我们三个。

16
好好先生

我先是弯了弯胳膊，又摸了摸鼻子、动了动脖子。一切正常！如果我没有回到现实世界，一定是到了天堂。

我想睁眼看看，可眼前的光照得我睁不开眼睛。这么说来，我真的到了天堂？

啪！啪！啪！

有人在鼓掌。

　　我眯缝着眼睛坐了起来。一个面色苍白的中年男人正站在我、埃里克和查理面前慢悠悠地鼓着掌，他穿着 T 恤衫和牛仔裤，还把 T 恤衫扎到了牛仔裤里。这不就是马克曼·鲁本——真人秀《狮子洞》里那个亿万富翁吗？

　　啪！啪！啪！

　　很快，房间里掌声雷动。几十个西装男围着我们，和马克曼一起鼓起掌来，感觉傻乎乎的。我揉了揉眼睛，努力回想我们是怎么到这里的。房间超级大，空荡荡的，以前一定有很多人在这里办公。地毯上的污渍似乎是一排排的办公桌留下的。现在屋里只有中间的电脑台，就和格雷戈里先生实验室的一样。除了屏幕和闪烁的灯，台子上还有许多电线，连接在房间里的门上。我的天哪！屋子里四面墙上足足有五十多扇门。

　　掌声终于平息了。马克曼伸手想把我们扶起来："你们好啊，我就是电视上的那个马克曼。"

　　我们没有理他，自己爬了起来。"我爸爸呢？"查理质问道。

　　"他也在这里。"马克曼回答，"只不过在帮助你们从那个破游戏里逃出来的过程中，我们让他暂时去别的地方了。真高兴你们都安然无恙。"

查理抱着胳膊，怒视着他。我很佩服查理此刻的勇气。

"还在为你爸爸的事情生气吗？"马克曼明知故问，"我真的需要他的帮助，就几周的时间。但是，我又不希望你没有爸爸的陪伴，毕竟在那之前，他已经离开你一段时间了。"

查理还是抱着胳膊站着，我能感觉到他在发抖。

"机器人爸爸对你不好吗？"马克曼接着问，"我希望他是个好爸爸。"

"你要查理的爸爸帮你做什么？"埃里克问。

"帮助我完成一个大计划！"马克曼顿时来了精神，"你们想不想听听我的计划？"

"不想！"我喊道。好多电影里都有这种情节，坏人告诉你他的计划了，就说明他要把你解决掉了。知道得太多是不能活着的——电影里都是这么演的。

"说来听听啊！"埃里克说。

"不！我们不想听！"我大喊。

"就讲一点儿好不好？"马克曼用惨兮兮的声音假装哀求道。

"不要！"

"讲一点儿呗！怎么了？"埃里克又多嘴道。

"埃里克！"

"说不定这个计划不错呢！"埃里克小声对我说。

马克曼搓着手说道："这当然是个不错的计划！先从哪里说起呢？首先……"

"别说了！"我打断了他。我还没来得及再说点儿别的，一个西装男就走了过来，一把捂住了我的嘴。"呜呜呜呜呜呜呜！"

"谢谢你，达里尔。"马克曼对那个西装男说，"在开始之前，我代表马克曼投资公司的所有人欢迎你们，欢迎来到公司位于加利福尼亚州旧金山的总部。"

"我们公司拥有世界最先进的设备，有机会我一定亲自带你们参观一下。"

"啊？！现在不能参观吗？"埃里克抱怨道。

"马克曼投资公司共有几十万名员工，"马克曼继续说，"他们都是各行各业的精英，当然了，有的人可能——怎么说呢，思想相对保守，不能接受我在六楼进行的研究。"

"你在六楼研究什么啊？"埃里克还在催促他说下去。

马克曼听了冲我笑了笑："你看看你的朋友……"

他转过身去："你叫埃里克，对不对？"

埃里克也咧嘴笑了，这个亿万富翁知道自己的名字，让他感觉非常骄傲。"没错！"

"你是一个性格开朗、思想开放的人。你的朋友应该多和你学学。"

"大家都这么说。"埃里克说。

马克曼把手放在埃里克肩膀上，问道："你知道我是做什么的，对不对？"

"当然了，你可是《鲨鱼坦克》里的亿万富翁啊。"

马克曼深吸一口气，抽回了他放在埃里克肩膀上的手，那表情比刚挨完骂还难看。"是《狮子洞》！"他大喊着，"不许你……"

说着，他似乎也意识到自己失态了，赶忙调整了一下情绪。

"《鲨鱼坦克》可比不上我们的《狮子洞》。"

"啊，那当然了，我超级喜欢看《狮子窝》……"

"是《狮子洞》！"

"对，我感觉还是《狮子洞》这个节目更好。"

马克曼逐渐放松了下来。

"那是当然了，《鲨鱼坦克》里面的那帮人就知道给吐司炉、搓澡巾投资，我们可是在改变世界啊！就在几年前，我投资了一家公司，它能改写人类的历史。"

"你是说超级生物软件公司吗？"

"你真是个聪明的孩子。没错，就是它。他们的研究太棒了。一个巴格其勒就能打造出近乎完美的游戏世界，这真是个价值几十亿美元的好点子。这项技术还能把人带到电子游戏世界中，对不对？岂止几十亿，起码值上万亿啊！但问题是，把这项技术用在游戏中，格局还是太小了。"

"杰弗瑞·德尔菲诺当时和我说，可以让人们花钱进到想玩的游戏中。"埃里克说。

"没错，这和虚拟现实没有什么区别，都是小孩子的把戏。"马克曼接着说，"但是，我还是鼓励他继续研究，毕竟我还有自己的计划。就在一切都准备得差不多了时，你们两个突然冒了出来，把超级生物软件公司里有价值的东西都毁了。"

"我们只是想救自己的朋友。"埃里克纠正他。

"你们这么做天经地义。"马克曼说，"把马克关在游戏世界里，也有我的责任。我对他们要求太严格，催得也太紧了。为了尽快完成研究，他们总想投机取巧，也犯了一些错误。好在现在问题都解决了，我的手下在警察赶来之前，已经把超级生物软件公司里最重要的设备都转移出来了。"

马克曼说着，朝着一扇门示意了一下。他肯定安排了许多爪牙在门外待命，因为他就做了这么一个小小的动作，就召唤进来两个西装男，他们还带着格雷戈里先生。

"爸爸！"查理大喊，想要跑过去。但是，身旁的西装男一把抓住了他。

格雷戈里先生看上去一脸沮丧，平日里竖着的头发也都塌了下来，乱蓬蓬的像鸡窝一样。而且可以看得出，他很久没有刮胡子了。他脸上的胡子和别人的不太一样，是一缕缕的。看到我们，他的眼睛里顿时充满忧伤。

"你们为什么不躲进保险箱里？"格雷戈里先生用嘶哑的声音小声说道。

我们还没来得及回答，马克曼就又继续他的演讲了。

"在过去几周里，阿利斯泰尔·格雷戈里一直在帮我完成这项旷世杰作。"

"什么旷世杰作？"埃里克饶有兴致地问。格雷戈里先生的状态完全没有影响到埃里克。

我一刻也忍不了了。埃里克居然认敌为友，和这个绑架查理的爸爸的超级恶人套近乎。不仅如此，他再这么胡言乱语下去，会给我们所有人带来生命危险。我掰开嘴巴上西装男的手，大喊："别问了！他告诉了咱们！咱们就完蛋了！"

马克曼听了，走到我面前，拍了拍我的后背，问道："这就是你担心的事情吗？你想多了，我是不会告诉你们的，我打算给你们看看。"

就在这时，屋子另一头的一扇门打开了。走进来的还是我在公园里差点儿撞到的"女士"。她的身后有五个西装男，押送着好几个人。查理一眼就看清楚了这几个人是谁。"我的天哪！不要啊！别这样！求你了！"

西装男闪开，我才看清楚被围在中间的女士和三个害怕得不行、紧紧抱住妈妈大腿的孩子。

查理哭出声来："妈妈！"

17
卸下伪装

格雷戈里先生想过去找自己的妻子和孩子，被西装男拦下了。他想要反抗，结果被他们压到了地上。马克曼走到格雷戈里先生面前，摇着头说："你知道的，我本来想放你们一马……"

"不好意思，打断一下！"埃里克说。

连马克曼都厌恶地瞥了他一眼。

"他们是怎么过来的？"

"谁？"

"他们。"埃里克指向那瑟瑟发抖的一家人，"从我们那里到这里够远的，他们来得真快。"

马克曼脸上的厌恶消失了，取而代之的是难掩的自豪："这个嘛，我们使用了瞬间移动技术。说起来，这项技术的成功离不开你们的帮助。"

"真的吗？"听埃里克的口气，似乎也骄傲得不行。

"你们在《疯狂怪兽》中的冒险给了我们灵感，使我们研发出了瞬间移动技术——只要把一个人放到电子游戏世界里，就可以把他传送到其他地方。这也是个价值几十亿美元的好点子！上周阿利斯泰尔帮我做好了这些传送门，也就是我们说的'检查站'，穿过'检查站'就可以瞬间移动到世界上的任何一个地方。"马克曼指了指屋里这些连着电线的门，"他真是帮了我的大忙。"

马克曼摆弄着格雷戈里先生的头发，表情变得严肃起来：

"我已经和你说得很明白了，阿利斯泰尔，这都是你自找的。要是你能顺利完成这个项目，我肯定会履行承诺。但是，一码归一码……"

"这扇门通向哪儿？"埃里克又不识趣地打断了马克曼。说着，埃里克还趁西装男不注意，走到了左边的一扇门前，一下拉开了门。一道蓝光从里面射了出来，照亮了他的半张脸。

"快关上！"马克曼大喊。一个西装男拽过埃里克，然后关上了门。

"真对不起。"埃里克说，"我就是想知道这扇门通向哪儿。"

马克曼明显已经不耐烦了："那扇门应该能到迪拜。这里的东西你都不许碰！"

"迪拜离华盛顿很近吗？"

"什么啊！迪拜在中东！"

"那哪扇门能到华盛顿啊？"

"这扇门！"马克曼砰地砸了一下身后的门，"如果你再说一句废话，哪怕就一个字，我就把你绑起来，打开通往切萨皮克湾的门，把你扔到海里。明白了吗？"

埃里克点了点头，他终于闭上嘴巴了。

马克曼又转向格雷戈里先生，很明显，他仅剩的一点儿耐心已经被埃里克消磨干净了。"这几周以来，你总和我说项目还没有完成。但是，我觉得已经差不多了。没办法，咱们只能冒险试一试。"

"求求你，别这样。"格雷戈里先生哀求着，"再给我一点儿时间，我答应你……"

"我可不想再当好好先生了。"马克曼说着转过身来，脸上挂着之前的假笑，走到了查理的妈妈和弟弟妹妹们跟前。

"你们好啊，孩子们！"

孩子们吓得紧紧抱着妈妈。

马克曼半蹲到地上，问道："你们有谁想获得超能力？"

没有人回答，实际上，他们几乎都不敢喘气，查理的小妹妹把脸埋在妈妈的两腿之间，看都不敢看他一眼。

"来嘛，别害羞！你们肯定都做过类似的梦！你们可以拥有任何想要的超能力，比如飞起来、隐形、力大无穷！想要什么超能力啊？"

片刻沉默之后，一个微弱的声音说着："星球大张？"

马克曼的脸上瞬间就有了光彩，他看着查理的小弟弟查思嘉说："不错！是星球大战吗？我把你送到星球大战的世界里好不好？"

"不要回答他，查思嘉！"格雷戈里先生大喊。

查思嘉没有回答，却冲着马克曼点了点头。

这可把马克曼高兴坏了。"那就去星球大战的世界吧！"说着，他一把抓住了查思嘉的手。格雷戈里太太想把孩子抢回来，却被西装男制止了。格雷戈里先生也想反抗，又被两个西装男按住，只能眼睁睁看着这个恶人带着自己的孩子从身边走过去。"你最好是已经把项目做好了，阿利斯泰尔！"

"马克曼，求你了，系统现在还不安全，再给我几个小时……"

"给你几秒钟怎么样？"马克曼反驳道。他走到房间的另一头，打开了一扇门。这是房间里最大的一扇门——就像吸血鬼所在的德古拉城堡的门一样，足足有正常门的两倍那么大。开门的一刹那，门里没有刚才的蓝光，而是旋转的红光，如岩浆一般倾泻而出。查思嘉也害怕了，他想逃跑，但是马克曼紧紧抓着他的胳膊不放。

"马克曼……"格雷戈里先生歇斯底里地哀求。

"十、九……"马克曼慢悠悠地开始了倒计时。

格雷戈里先生冲到中间的电脑前，开始疯狂敲击键盘。"等我一下！就一分钟！"

"八、七……"

格雷戈里先生把一个屏幕转到自己面前，焦急地喊着："系统还没有启动！让他进去就是送死！"

"六、五……"

　　格雷戈里先生冲到电脑台的另一边，把一根电源线拔下来，接到了别的位置。操作台上的一盏灯闪了起来，然后又是三盏灯，最后所有灯刷的一下都亮了起来。

　　"四、三……"

　　有好几台电脑的屏幕启动了，上面是一个布满灰尘的红色星球。

　　"二！"

　　"查思嘉，爸爸爱你！"格雷戈里先生大喊。

　　"一！"

　　"等着我去救你，千万不要……"

　　格雷戈里先生的话还没说完，马克曼就把查思嘉扔到了门后的红光之中，然后砰的一下关上了门。

18
无底洞星球

　　有那么几秒钟，屋子里出奇安静，没有一丝声响。格雷戈里先生盯着一台电脑的屏幕，所有人也都跟着看向那里，哪怕是那些西装男。我们都很紧张，生怕查思嘉不能回来。过了一会儿，屏幕亮了起来，上面有一个小男孩独自站在满是荒漠的星球上。我们都松了一口气。格雷戈里先生又忙活起来，他检查着所有的电脑屏幕，轮流用三个不同的键盘打字。

马克曼走到他身边，用力拍了一下格雷戈里先生的后背，满是嘲讽地说："看，这不是挺好的吗？"

"能量已经饱和了。"格雷戈里先生头都顾不上抬起来。

"这样啊，你一定能想办法解决这个问题的。"马克曼回答，"你最好快点儿。再过三十分钟，我就要送你的另一个孩子进去了。"

"送去哪儿？"埃里克又问了一个问题，打破了刚才马克曼"不许说一个字"的要求。

"查思嘉这是在哪儿啊？"

"埃里克！别问了！"我大喊着，"你有毛病吗？"

马克曼转向我："怎么了，你担心我把计划和盘托出，然后不得已要灭口吗？那我来让你如愿吧。"

我大喘了一口气。

马克曼指着刚才那扇最大的门，说："这扇门通向鲁本宇宙，是我在巴格其勒的帮助下搭建的宇宙世界。里面包含星球大战星球、乐高星球、类人猿星球、随便吃星球……你能想到的所有星球这里都有。所有人都到这里面去是件多么好玩的事啊。"

"什么叫所有人……"埃里克问。

"只要我一句话，距离屏幕六米以内的人，都会被传送到鲁本宇宙中，不管你愿意不愿意。我把这个叫'鲁本狂欢'。想象一下吧，全世界有那么多的手机、电脑和电视，这一下80%的人都能进去。"

我震惊地看向格雷戈里先生，他正忙着敲键盘，好保护自己的儿子。"这太难了，不太可能吧？"我问。

马克曼替格雷戈里先生回答道："只要电脑能量够，一切皆有可能。所以，我刚才给这位天才加了点儿动力。"马克曼指着屏幕上的查思嘉。

"可你为什么要这样啊？"

"啊，是呢，我为什么要创造一个宇宙，把所有人，包括总统、国王、首相都关到里面，让他们都听我的？我为什么要创造一个宇宙，由自己决定谁能有钱、能吃饭、能活着，什么都是我说了算？我为什么要创造一个宇宙，让自己眨眼间就能实现所有的愿望？唉，这个问题真难啊！真是不知道到底为了什么。"

马克曼激情澎湃的演讲结束了，我感觉自己头晕目眩。查理脸色苍白，格雷戈里太太闭着双眼，似乎在祈祷。差不多一半的西装男看上去都要吐了，看样子他们也是刚刚才知道马克曼的阴谋。只有埃里克一个人跟没事人一样，在那儿咧着嘴傻笑。

"还有什么问题吗？"马克曼问。

"没有了，谢谢你的解答。"埃里克回答。

马克曼耸了耸肩，说道："没办法了，现在你们都知道了，我是不可能让你们走出去的。"然后，他示意我们身边的那群西装男："这回试一下无底洞星球吧。"

几个西装男抓起了我、查理和埃里克，但是我感觉放在我肩膀上的手已经不再那么有力了。那些西装男似乎和我一样，都在发抖。我发抖还有别的原因。马克曼比电影中那些超级恶人还恶毒，这确实让人害怕。我以前一直以为，那些超级恶人最大的恶行就是要炸毁这个世界。没想到马克曼居然想把全人类困到电子游戏世界里，获得病态的满足感。真是十恶不赦啊！

但最让我震惊的还是朋友的背叛。一直以来，埃里克都是我最好的朋友啊！我们每天一起上学，一起经历了那么多事，相信地球上很少有谁能像我们两个一样一次次在电子游戏世界里出生入死。在过去的五个月里，我们打败了外星人大军，干了那么多轰轰烈烈的事情。但是，这几分钟之内，他居然认贼作友，到底是为了什么？到底是埃里克变了，还是他真的以为这个鲁本宇宙很有意思？哪怕现在，我们就要被扔到无底深渊了，他还是一脸兴奋，不住地傻笑。他怎么了？

然后，我就发现了他的小秘密。

电影中总是有这样的情节，当超级英雄要揭开谜底的时候，一切似乎都变成了慢镜头。我们能听见脚步的回音，镜头也被拉得越来越近，所有的细节我们都能够看得清清楚楚。以前我总觉得只有超级英雄才能让时间变慢。实际上不是这样的，我现在真的感觉时间放慢了速度，我也借着这个机会看到了埃里克的间谍手表。

在现实生活里，这种细节其实是很容易被忽略的，但是在慢镜头近景中，我注意到埃里克的间谍手表上的红灯在闪，他一直在录音，录音时间是五分零两秒。

他把一切都录了下来。

19
白宫

埃里克知道我发现了他的秘密，冲我眨了眨眼睛。但我还是不明白他下一步打算怎么办——难道录音能把无底洞星球炸开吗？当然了，根据埃里克的行事风格，我不用提前知道他的计划，他自然会昭告天下。西装男押着我们走过了通往华盛顿的那扇门。门把手就在眼前，埃里克迅速伸手拉开了门。趁着西装男没反应过来，埃里克赶紧挣脱他们的手，迎着门里的蓝光冲了进去，就这样消失在我们眼前。

埃里克突然逃跑，大家一时都没反应过来。抓着我的西装男手松了一下，我用力摆脱了他，一脚踏进了蓝光里。一股强大的力量把我吸了进去，我回头想把查理拉过来，可是押着他的西装男看穿了我的意图，一把推开了查理。

"查理！"我使劲摆动双腿想回去救他，却被强大的吸力带着翻转起来。这感觉就像在下水道里被水冲着跑，最后，我一屁股坐在了硬硬的木地板上。

我还没来得及搞清楚状况，埃里克就把脸凑过来问我："查理呢？"

这时，门缝伸进了一只肥大的手——明显不是查理的手。趁着手的主人还没传送过来，埃里克赶紧过去关门。当然了，有只手卡着，这门根本关不上。

"啊啊啊啊啊！"另一边有人疼得直叫。

尽管埃里克用尽了全力，可对方还是成功地把自己的胳膊伸了进来。只听咣当一声，应该是对方用脑袋撞门，门开得更大了。我赶紧过去帮忙，使出吃奶的劲儿推那只胳膊。终于，在我们两个人的努力下，对方撤了回去，埃里克顺势关上了门。

我俩累得上气不接下气，直接瘫坐在地上。这一下弄得地上尘土飞扬。我们似乎是被传送到了一座旧府邸的卧室，很像是那种没什么看头的观光景点。等眼睛适应了周围的光线，我才发现这个巨大的房间里布满蜘蛛网，而我们正倚着壁橱。看来身后的壁橱就是传送门。

"这里是白宫吗？"埃里克问。

"什么？当然不是了。他们怎么会开一扇通往白宫的传送门呢？"

"但这里是华盛顿的某个旧府邸啊！那就只有白宫了！咱们也太走运了吧！"

"这绝对不是白宫！你看！"我说着把埃里克推到了窗户前，一起向外张望。窗户下面满是杂草和扭曲的树。窗户侧面的常春藤肆意生长，爬满了房子的外墙。

"也许这是白宫的另一面，一般人看不见。"埃里克还在做他的春秋大梦。

砰！

我们转过身来，发现壁橱的门在晃动。"咱们离开这儿吧？"我吓得大喊。

砰！

门开了一道缝儿，我们赶紧跑了出去，沿着盘旋的楼梯一路冲刺，冲进了书房。此时我对埃里克的计划产生了怀疑："你为什么要来华盛顿啊？是这里有谁能够帮助咱们吗？"

"当然了。"埃里克落在了后面。他坚持认为这些书架上面有机关，能打开一条密道，所以跑到哪儿都要用手摸摸。"他听了录音就会帮咱们！"

"你说的是谁啊？难道你在白宫里有亲戚？"说着，我发现门厅前面就是大门，赶紧冲了过去。就在我们开门的那一刻，咣咣的声音传了过来，看来壁橱门已经被撞开了。然后，咚咚咚的脚步声响起来，听上去不少人闯进了那间卧室。我俩加速跑了出去，外面的天空灰蒙蒙的，似乎已经下了很久的雨。

"不是啊，我有更合适的人选！"埃里克说，"咱们可以直接把录音给美国总统！"

我猛地停了下来："什么？"

"美国总统！只有他有这个权利，能够逮捕马克曼·鲁本！"埃里克咧嘴一笑，为自己能想到这个好办法而骄傲。我的心瞬间沉到谷底。

"快躲起来！"我拉着埃里克躲到了屋子旁边满是刺的灌木丛里。

一个西装男从前门走了出来，我赶紧用手捂住了埃里克的嘴。那个西装男向门两边看了看，冲着对讲机说了几句话，然后就踩着水跑到了马路上。几秒钟的工夫，又跑出来四个西装男，他们也分开去附近搜查了。外面彻底安静了下来，我也平复了一下情绪，转身对埃里克说："可能咱们还没见到美国总统就会被逮起来了。"

埃里克摇了摇头："听我说，咱们去白宫门口放录音。然后……"

我没有听到他后面都说了些什么，而是开始摆弄口袋里的小球，想着怎么才能收拾这个烂摊子。我们可以去警察局，把录音给他们。但是，警察局在哪儿呢？还不如去五角大楼，毕竟五角大楼的外形特别，更好找一些。或许我们可以……

我突然意识到了什么，深吸了一口气。

"太好了！"埃里克欢呼着，"我就知道你会同意这个方案！"

"不是的，我不同意。"我说着把手从口袋里伸了出来。

"那你肯定是还没听明白。咱们要……"

"埃里克，"我打断了他，"早晨我口袋里是没有小球的。"

"你说什么啊？"

我张开手掌，把握着的小球露了出来。它发着黄色的光。

这回换成埃里克深呼吸了："你居然把它从游戏世界里带出来了！"

"看来是。"我看着《绝命岛》里的宝球，"我想到咱们去哪里播放录音了。"

"去哪里？"

"咱们得先穿过壁橱门！"

20
咚巴拉呀咚呀咚巴拉

"咱们的暗号是什么？"我又问了一遍。

"香蕉。"

"很好，听到这个暗号你再进来，明白了吗？"

"明白。"

"一言为定！"

"嗯！"

　　我冲埃里克点了点头，就像谍战电影里的人物在临别前深情嘱咐对方一样："咱们在那头见！"

　　埃里克轻轻地捶了一下我的胸口："放心吧，兄弟！"说完，他就沿着角落里的常青藤开始往上爬。他爬到窗户上的遮阳篷那里会给我发声音信号，我则先躲到一边，听到声音信号再溜到前门去。不出意外的话，所有西装男应该都去找我俩了。也就是说，大门现在没有人看守。

　　我蹑手蹑脚走到门廊，躲在一边观察情况。天不遂人愿，还有两个西装男守着大门。没办法，我只能靠着墙偷偷溜回去，准备再想别的办法进到房子里。此情此景让我想到了埃里克以前玩的一个间谍游戏——《黑暗代理人》。他总是让我在旁边观战，看他的游戏角色是怎么声东击西、混淆视听、躲过警卫，从一个房间溜到另一个房间的。但是，面对这么一群训练有素的西装男，我要怎么做才能分散他们的注意力呢？朝墙上扔饮料瓶吗？在那些无聊的电子游戏里，警卫总是会问"什么人？"，然后，埃里克的游戏角色就趁着他们检查的工夫从后面溜过去。

　　"他们每次都上当！"我总是说，"这也太假了。"

"杰西，现实中也是这样的。游戏在开发的过程中可是有专业人士指导的，你知道吗？"

没有别的选择，我只能冒险一试。地上看不到饮料瓶，倒是有不少石头。于是，我捡起一块大石头躲到了灌木丛中，然后瞄准人行道旁的一个水坑，把石头扔了出去。

哗啦！

"什么声音？"

看来这主意还不错。我静静地蹲在灌木丛中，等着他们去检查声音的来源。但是，过了半天，那两人也不动。没办法，我又捡起一块石头朝着水坑扔了过去。

哗啦！

这回，两个西装男看到了地上溅起的水花。和游戏中不同的是，他们没有去检查那个水坑，而是根据石头的飞行路线把目光锁定在了我藏身的灌木丛。"在那儿呢！"其中一个西装男已经看到了我。

我就知道电子游戏都是胡编乱造的。两个西装男跑下门前的楼梯，其中一个一边跑还一边喊："另一个人呢？"我紧紧抓住手里的无敌宝球。现在还不是时候，我们的计划是在卧室会合，然后借助宝球穿过传送门。眼看那两个西装男跑了过来，我想不到别的办法，就呼喊着朝他们跑了过去，希望能吓他们一跳。

一个西装男看我跑过来，当时就怔住了，站在原地抱着脑袋，就像打篮球时怕球砸到自己。另一个头脑还算清醒，挡在人行道上防止我逃跑。我加速向前，打算闪过抱着脑袋的西装男。他伸手抓住了我的胳膊，却被我转身甩开了。另一个西装男搞错了我的逃跑方向，以为我要跑到马路上，也给了我一些可乘之机。

"有一个进去了。"我听到后面的西装男冲着对讲机说。看来情况还不算糟糕，也许里面只有一两个人守着。

跑到门厅我才发现，在这儿守着的不是一两个人，似乎马克曼·鲁本的西装男大军都来了。楼梯上站满了配着手枪的敌人。

"不许动，不然我就开枪了！"最前面的西装男说。刚才那两个西装男也跑了进来，关上了我身后的大门。这下没有退路了。我把宝球缓缓靠向胸口。

"告诉你了！不许动！"前面的西装男重复着。

再不用就没机会了！我将无敌宝球放到胸前。它就像一个装了水的气球，需要使点儿力气。我用力一推，瞬间感觉到一股暖流遍布全身。

咚巴拉呀咚呀咚巴拉。

我的身体发着光，还响起了奇怪的音乐。

砰！砰！砰！

西装男大军感觉不妙，纷纷开枪。他们的子弹都被我吸到了身体里。

咚巴拉呀咚呀咚巴拉。

我得意地笑了，这回的宝球还挺有用。

咚巴拉呀咚呀咚巴拉。

借着超能力，我朝楼梯冲了上去。有的西装男虽然害怕，但还是坚守阵地，冲我开火。他们勇气可嘉，但智商不足。我放低身体，像推土机一样一路碾了过去。楼梯顶部一个肌肉发达的西装男摆好姿势，似乎想和我一决高下。我轻轻松松就把他放倒了，他至少得卧床一周。

咚巴拉呀咚呀咚巴拉。

上了楼梯，我先右转再左转，飞速冲向卧室。这一路上的西装男更多了，多到让人应接不暇。第一个冲过

来的西装男被我躲了过去。第二个西装男直接把拳头挥
到了我脸上，但我能感觉出这个西装男有些迟疑，大概
他自己也觉得对着一个十岁的孩子挥拳很不合适。好在
我有超能力，面对攻击毫发无伤。我抓住他的胳膊，把
他扔到了屋顶。

"香蕉？"窗户外面埃里克大声问道。

"还不行！"

咚巴拉呀咚呀咚巴拉。

第三个迎面而来的西装男毫无羞耻之心，对着我这个未成年人的腹部使劲来了一拳，好在我还是没感觉。我和他对视了一秒钟，然后抓起他的胳膊，冲着扔第二个西装男在天花板上砸出来的洞就扔了过去。

"现在可以了吗？"埃里克努力从窗户往里看。

"等一下！"

咚巴拉呀咚呀咚巴拉。

所有西装男一下子都冲了过来。足足有二十个人一起压住了我，有的拳打脚踢，有的想按住我的胳膊把我制服。我任由他们折腾，等着人都到齐。无敌宝球的作用是有时间限制的，宝球所剩的时间不多了，我纵身一跳，把纠缠我的西装男全都甩了出去，他们撞破墙之后跌落到后院。

埃里克通过墙上的大洞看着我："现在我能进去了吗？"

"当然了！"

但是，他却没动。

我翻了个白眼："香蕉！"

他咧嘴一笑爬进了屋子："这真是太酷了！我能给你一拳吗？反正你也不会被伤到！"

我还没来得及回答，又一个西装男穿过了壁橱上的传送门。他也握着枪，但是这把枪和他楼梯上的同伴们拿的不一样，这是一把激光枪——就是超级生物软件公司那种可以直接把人送到游戏世界的等离子枪！西装男看见我们，一下滚到了床后面。

咚巴——咚巴——咚巴。

我身体发出的光开始闪烁，能量马上就要消失了。"埃里克，赶快团成一个球！"

"什么？"

我举起埃里克，用自己仅剩的超能力把他扔了出去。从进入《绝命岛》开始，我就想这么做了。躲起来的西装男刚探出头，就看见人肉炮弹埃里克朝自己飞过来。他下意识地松开手中的枪，举起双臂想保护自己的头。但是，在这威力强劲的人肉炮弹前，这种防御一点儿用也没有，埃里克直接把他撞飞了，让他顺着刚才的洞口飞出去找自己的同伴了。他扔下的等离子枪也被埃里克捡了起来。"咱们走！"

　　我们刚爬进壁橱的传送门，刚才在楼梯上对我围追堵截的西装男们就冲进了卧室。在一片蓝光之中，我感觉自己一直在往下坠，最后掉到了马克曼投资公司总部的地板上。我回来的第一件事就是抓住这扇门的电源线，用尽全身力气往外拔。

　　轰！

　　通往华盛顿的门断电了。埃里克先打开一道缝儿检查了一下，又探头看了看。很好，门后面就是墙。我深吸了几口气，做好继续和西装男战斗的准备。这里还有多少西装男呢？二十个？还是五十个？

我回过身来，知道了答案——一个都没有！

屋子里只剩下在电脑台前忙碌着的格雷戈里先生，还有查理，他一直怔怔地看着我们。

"查理！"我大喊着，"太好了，你没有事！我一直在担心，刚才没能带上你！"

查理一句话都没有说，他看上去似乎不太舒服。

"其他人都去哪儿了？"

还是没有回应。

"没事了。"埃里克说，"杰西想到了一个好办法，咱们可以……"

"别说话！"查理大喊。

"为什么啊？这里又没有其他人。"

查理伸手指向电脑台。我一脸迷惑——只有格雷戈里先生站在那儿啊。就在这时，一个人的脑袋从电脑台的另一边冒了出来，我感觉自己的血液都要凝固了。

又来了一个格雷戈里先生。

21

《拯救大家的小松鼠》

"哪一个是真的？哪一个是机器人啊？"埃里克说着，举起激光枪对准了电脑台。

"我也不知道。"查理回答。

"你不知道?!"我问，"我们不在的时候谁进来了？那个肯定是假的啊！"

"理论上是，但我没看见。你们逃跑之后整个屋子里的西装男都和疯了一样，到处乱窜。马克曼喊了句'黑暗模式'，然后把一半的人派出去抓你们了，剩下一半和他一起走了。他们还带走了我的妈妈和妹妹们。等我反应过来，房间里就只剩下我、我爸爸和那个机器人了。"

我们看向电脑台，两个格雷戈里先生都在疯狂地敲着键盘——不同的键盘。

"我最后一次警告你，离键盘远点儿！"格雷戈里先生一号嚷道。

"我的儿子被困在里面了！"格雷戈里先生二号也不甘示弱。

"听我说！"埃里克喊道。

两个格雷戈里先生同时抬起了头，看到埃里克拿着激光枪，两个人的眼睛都睁得大大的。"埃里克，快把那个放下。"格雷戈里先生一号说。

"你们哪个是真的？哪个是假的？"埃里克问。

"我是真的！"两个人同时回答，连语气都一样。

"我急着解救查思嘉，而他却想用处理器超频运行产生的高温伤害查思嘉。"格雷戈里先生二号说。

"胡说！听我说，他是……"

噼噼噼噼噼噼！

一台电脑的屏幕突然变成了红色。

"天哪！不要啊！"格雷戈里先生一号喊着，"不要不要不要！"他跑到屏幕前，使劲按着那些按键。

"你快停下来！这是在害他！"格雷戈里先生二号也跟着喊了起来，他跨过椅子冲了过去，一把推开了在键盘前面忙活的格雷戈里先生一号。

眼前的场景让埃里克也慌了神，他把等离子枪递给我，说："想想办法吧。"

我的大脑开始飞速运转。几秒钟后，我对查理说："查理，你来问他们俩几个问题吧！"

"以前我睡觉前，你都给我讲什么故事？"查理问眼前这两个人。

"《拯救大家的小松鼠》！"他们同时回答。

"我小时候都喜欢去哪里过生日？"

"大大超市旁边的比萨店。"两个人又几乎同时给出了答案。那个机器人肯定能在瞬间复刻格雷戈里先生的答案，所以我们分辨不出来。

"杰西！"格雷戈里先生二号说，"再这样下去，查思嘉就有危险了！求求你想想办法！"

我感觉自己呼吸急促，但还是努力集中注意力观察两个人眨眼的频率。一、二、三，眨眼。我又看向另一个，一、二，眨眼。

噼噼噼噼噼噼！噼噼噼噼噼噼！

电脑台发出急促的警报声，两个格雷戈里先生跑向了两个不同的地方。"查思嘉只有一分钟的时间了！"格雷戈里先生一号说。

我看向格雷戈里先生二号，希望他在电脑中输入的指令能提供一些线索。说实话，我从来没有上过编程课——看到这一堆字母和数字的组合，我怎么能分辨出他这么做是在保护查思嘉还是在害他呢？但是，现在也没有别的办法了，我努力盯着屏幕上的指令，希望能跟上他输入的速度。等一等，他的手有点儿不对劲，这打字速度也太快了吧？我还没见过有人打字这么快呢！肯定有问题，这速度不像是人类的速度。想到这儿，我慢慢举起了手里的激光枪。

噼——！噼——！

"杰西。"查理小声对我说，一把推开了枪。

"我来吧。"我小声说。

"这个必须我来。"查理说着，站到了枪口前面。我想让他躲开："我知道哪个是假的了，别挡着！"

但是，查理堵在枪口前，没有放弃的意思。他伸出手："杰西，把枪给我，我必须亲手解决这个机器人。"

"但是……"

"求你了……"他的声音有些嘶哑，"这是我的爸爸！

我的弟弟！"

查理的最后一句话点醒了我，我重新审视着自己这一天的所作所为。我认为自己是个英雄，把大家从地下室救了出来，还摆脱了 JHG 的纠缠。我选择打通关卡而不是躲到保险箱里。但是，从查理的角度来看，我的所作所为其实是剥夺了他们一家逃跑的机会，并且还把他和家人推向了险境。想到这里，我把枪递给了查理。

"爸爸。"查理对两个格雷戈里先生说。两个人都不再敲键盘，一起看向他。查理把枪口对准格雷戈里先生二号，看着格雷戈里先生一号说："我爱你。"

格雷戈里先生一号点了点头："孩子，你做出了正确的决定。"

就在查理要扣动扳机的那一刻，格雷戈里先生二号说话了，他没有求查理放过他，也没有劝查理再想想，他只说了六个字。

"我也爱你，孩子。"

这给了查理答案。查理笑了笑，转手冲着格雷戈里先生一号开了一枪。

22
大逃亡

　　格雷戈里先生一号被击中的时候，身体一闪，露出了本来的机器人身体。他张开嘴，什么都没来得及说，就消失在了我们眼前。

　　埃里克惊讶地看着查理："你差点儿把自己的爸爸送到无底洞星球里去！"

　　格雷戈里先生抱住自己的儿子说："他知道该怎

么做。"

嘛——!

电脑台发出更刺耳的声音，提醒大家查思嘉还面临着危险。格雷戈里先生赶紧跑到键盘前敲了几下，声音也跟着停了下来。他如释重负，长舒了一口气。

查理走过来，抱住了我和埃里克。我俩都不太习惯搂搂抱抱，只能尴尬地拍着查理的后背，听着他不停地说感谢的话。"要不是你们两个，我的弟弟就回不来了。"

最后，他终于松开了我俩："你们怎么知道这儿需要帮忙？"

对了！查理的话提醒了我，我们是带着任务回来的。"埃里克，把手表给我！"

埃里克从手腕上摘下间谍手表。

"格雷戈里先生，大楼里有没有对讲系统？"

"有，通过电话就可以。怎么了？"

我解释道："埃里克把马克曼·鲁本的话都录了下来。我们本想把录音交给警察，但是这一路上马克曼肯定会派很多西装男来阻拦我们。如果在大楼里播放录音就不一样了，他的阴谋很快就能传到警察耳朵里。"

"真是个好主意！"格雷戈里先生说着，开始行动起来。他对着电脑台旁边的电话按了几串数字，然后把话筒放到了嘴边："马克曼投资公司的所有员工请注意，马克曼投资公司的所有员工请注意。"他的声音通过对讲机在屋子里回荡着，"我是阿利斯泰尔·格雷戈里，正在公司的六楼。想必大家都想知道马克曼·鲁本在计划着什么。现在我就要撕破他丑恶的嘴脸，将他的恶行公布于众。下面我们一起来听听他是如何坦白自己的罪行的。"

埃里克把手表递了过去，格雷戈里先生开始播放。

"马克曼投资公司共有几十万名员工，"马克曼的声音通过对讲机传遍了整座大楼，"他们都是各行各业的精英，当然了，有的人可能——怎么说呢，思想相对保守，不能接受我在六楼进行的研究。……"

录音还在继续播放，这时格雷戈里先生回到了自己的键盘前，对查理说："我有个办法，也许能把查思嘉救出来。查理，你能帮我操作键盘吗？听我的指令，按下退出键，明白吗？三、二……"

砰！砰！砰！

一阵巨大的敲门声传来。有人在敲连接走廊的大门，刚才马克曼和他的爪牙就是从那儿跑出去的。我们还没来得及把间谍手表藏起来，门就被推开了，格雷戈里太太带着孩子们冲了进来。

"爸爸！爸爸！"格雷戈里先生的女儿们都跑到爸爸身边，紧紧抱住他的大腿。

格雷戈里先生拥抱着自己的妻子说："你们是怎么逃出来的？"

"录音一播放，看着我们的那个人就被吓跑了。"格雷戈里太太说，"查思嘉没事吧？"

"放心吧！我马上就把他救回来。准备好了吗，查理？"

"准备好了！"

格雷戈里先生用键盘输了几个指令："来吧！"

查理按下退出键，通向鲁本宇宙的大门渐渐打开，里面的红光也倾泻出来。门越开越大，查思嘉跌跌撞撞地走了出来——他手里好像拿了一把真的光剑。查思嘉不相信地眨了眨眼睛，低头看了看手里的武器。"星饼大张！"他欢呼着，把光剑高高举过头顶。

"查思嘉，快把那个放下来！"格雷戈里太太命令道。

查思嘉听话地把光剑放了下来。查理的家人都朝查思嘉冲了过去，他们紧紧地抱在了一起。一家人终于团聚了。"你们想回家吗？"格雷戈里先生说着，打开了一扇门。

格雷戈里太太看着里面射出来的蓝光，半信半疑地

问："亲爱的，这个安全吗？"

格雷戈里先生还没来得及回答，查思嘉就捡起地上的光剑，朝门里面走了过去。"等一等！先不能进去！"格雷戈里太太喊着跑了过去。查理牵着妹妹们的手，也一起走了进去。

我转向格雷戈里先生："您不回去吗？"

他摇了摇头："我得留在这里收拾烂摊子。希望我能快点儿回家，再也不和这些东西扯上关系，太多人都因此陷入了麻烦。"

"这不是你的错。"我说，"你的发明都很棒，只不过有人图谋不轨，用它做了坏事。"

"对，就和巴祖卡火箭筒一样。"埃里克补充道。

"真是太谢谢你们两个了。" 格雷戈里先生说，"要不是你们，我可能就见不到我的家人了。"

"我们随时待命，时刻准备进入游戏世界。"埃里克说。

"不会再有人进到游戏世界里了。"格雷戈里先生说，"走吧，快回家吧。"

埃里克和我朝着刚才查理走进去的那扇门走了过

去。"不，不是那里。"格雷戈里先生说，"我得把你们送到家啊！"

他领着我们走到旁边的一扇门前："埃里克，他们做了这个，直接通到你家的地下室。"

"真阴险。"我说。

"太酷啦！"几乎是同一时间，埃里克欢呼起来。

埃里克走到了蓝光里，我跟在他后面。我们就这样向下坠落，几秒钟之后，一起从埃里克家的电视里走出来。终于回来了，此时此刻，脚下的旧地毯都令人倍感亲切。

23
黑暗模式

当着格雷戈里先生的面，我俩一直都在控制自己的兴奋之情。现在地下室就剩我们两个，终于可以释放一下情绪了。"嗷！"埃里克学着金刚的样子捶打着胸口，我也高兴地跳上跳下。

"真是太刺激了！"我喊着，"咱们真是无敌间谍！"

"双零七随时听候您的差遣。"埃里克说着，做了个特工扶墨镜的动作。

"是'零零七'吧。"我说。

"什么？"

"没什么。对了，咱们快看看新闻吧。我想知道联邦调查局是不是已经过去了，马克曼·鲁本有没有被抓到。"

"对啊！"埃里克说着，开始在沙发上找遥控器。

我懒洋洋地坐在地毯上，轻轻闭上了双眼。不到半天的时间里，我去了洛杉矶、华盛顿，还闯到了二十世纪八十年代的丛林游戏里，现在回来还能赶上午饭。

埃里克正对着电视试手里的遥控器。"这个也不是……"他嘟囔着。

回想一下我们播放录音的计划，我感觉还是有些欠考虑，万一我们回到六楼的时候，那里还有西装男把守，或者播放录音的时候，有坏人闯了进来，一切努力就都白费了。这事我越想越蹊跷。"埃里克，你不觉得奇怪吗？为什么咱们能那么顺利地回去播放录音？而且，整个过程中也没有人来阻止咱们？"

"什么？"

我回头看了看埃里克，他在沙发垫的缝隙间发现了一块毛毛虫软糖，正在认真研究这糖还能不能吃，根本没注意听我的话。

"为什么马克曼带着人离开后就没有再回来？他们那里有监控啊，能看到咱们在做什么，不是吗？他们一定知道咱们回来了。"

埃里克已经把毛毛虫软糖放到了嘴里。"谁知道他怎么想的。"埃里克说，"你从那边把沙发抬起来，我看看下面有没有遥控器。"

我抬起了沙发，然后立刻又撒开了手："黑暗模式！"

"啊！"埃里克大喊，"你放手之前说一声啊！差点儿就砸到我了！"

"你还记得吗？查理说马克曼离开的时候，喊了句'黑暗模式'几个字。"

"那又怎么了？"

"会不会马克曼有别的计划，所以才没来阻止咱们？"

"或许他知道自己暴露了，干脆逃跑了。"埃里克劝我，"你能不能别胡思乱想了？赶快帮我把沙发抬起来！"

就在这时，电视自动打开了。一阵雪花点之后，画面清晰起来。屏幕上是格雷戈里先生。

"杰西！埃里克！有麻烦了！"格雷戈里先生还在控制室里，电脑台上的提示灯已经灭了，警报声也停了。

"怎么了？"

"我不知道他是怎么做到的！但是，现在事情成了这个样子！"

"什么啊？"

"我需要你们赶快回来，遥控器在哪儿？"

埃里克和我各从电视柜上拿起一个遥控器。

"对不起。"格雷戈里先生一边说一边敲击着键盘，"真是太对不起了。"

一阵隆隆声响起，周围都暗了下来。我们被黑暗吞噬了。我的眼前闪起红色的光。与此同时，我还听到一个女人的声音——坐电梯的时候，我总能听到这个清脆的女声，平时她都是在报楼层，比如"十层到了"。但是，这次她却带来了令人窒息的消息。

"距离毁灭还有十分钟。"

电脑是不是很神奇？敲几下键盘，几秒钟之内，就能搜到各种图书、歌曲或电影。电脑还能操控机器，实现无人驾驶。不管是汽车、飞机还是登上月球的火箭，都离不开电脑。不仅如此，以电脑为重要载体的人工智能已经能够在围棋比赛中击败人类顶尖选手。

电脑是怎么做到这一切的？它有魔法吗？实际上，你可以通过电灯开关来了解电脑的工作原理。想象一下，你可以控制一座摩天大楼里一百个灯泡的开关。晚上，你可以让其中一些灯泡亮起，相互配合，以拼成不同的图形或文字。这非常有趣，不是吗？

电脑里可不止一百个开关了，它拥有数十亿个被称为晶体管的微型开关。就像摩天大楼里的灯泡开关那样，这些晶体管也需要相互配合以创建有意义的信息。

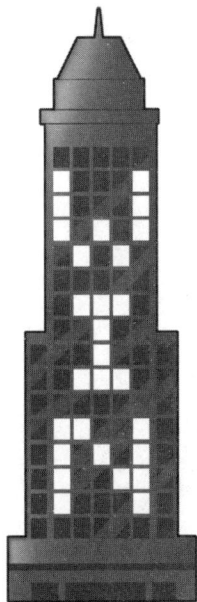

晶体管用二进制的形式创建代码。在二进制中，0和1是基本算符，就好比电灯的"关"和"开"。把表示"关"和"开"的晶体管连接在一起，就能创建出电脑可以理解的代码。

打个比方，下图中所表示的信息就可以理解为"问号"。通过二进制，我们可以把人类语言转换成电脑语言。只是，我们用二进制写程序的时候，不会像图中那样把晶体管用卡通形象代表（这些形象固然可爱，但很不实用），只要用0和1代替"关"和"开"就可以了。

接下来，我们将通过0和1的不同组合，了解电脑的二进制。

我们可以以电脑屏幕为例，看一看电脑是怎么通过简单的二进制，完成复杂任务的。

1. 这是一张小狗的图片。

2. 屏幕被分成了一个个小方格，这就是像素。

3. 对于这种简单的黑白画，我们可以在空白格子中写上"0"，在有黑色线条的格子中写上"1"。

4. 在屏幕上，标有"0"的像素显示为白色，标有"1"的像素显示为黑色。

电脑屏幕像素越高，图像越清晰。不管是白纸上的图像还是方格中的图像，都可以通过二进制写入电脑。

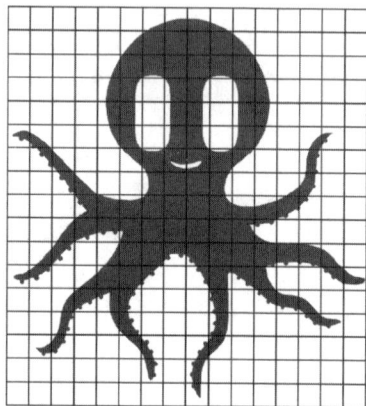

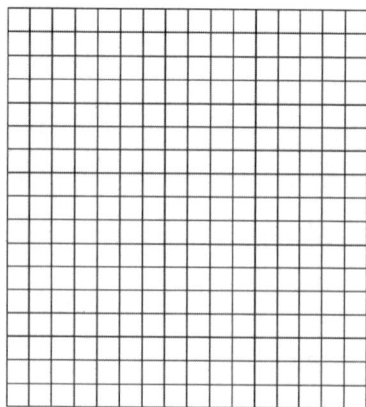

二进制密码

二进制也可以作为密码。把 0 和 1 进行不同的排列组合，就能表示不同的信息。例如，1100011 从二进制转换成十进制就是数字 99，还可以代表小写字母 c。

别担心，不用背二进制的转换，也能学习电脑编程。因为电脑就能帮你转换和翻译。但是，我们不妨一起了解一下，电脑是如何破译二进制的。

在这一部分中，我们可以根据下页的表格，来破译出"勇敢者游戏"第五本讲了什么。从上到下、从左到右好好研究一下下面这些二进制数字吧。你还可以用二进制数字，给你的朋友写一封秘函！

1. "勇敢者游戏"第五本的副标题是：

11010	01000	01111	01110	00111
01010	01001	00100	10101	01001
01010	10101	00101		

2. 在"勇敢者游戏"的第五本中，杰西和埃里克来到了鲁本宇宙。他们去的第一个星球是：

11010	01000	10101	01100	10101
01111	01010	01001	11000	01001
01110	00111	10001	01001	10101

3. 进入鲁本宇宙不久，杰西和埃里克遇到了一个"老朋友"，这个老朋友就是：

00010	00001	00111	00101	10001
01001	01100	00101		

A	00001
B	00010
C	00011
D	00100
E	00101
F	00110
G	00111
H	01000
I	01001
J	01010
K	01011
L	01100
M	01101
N	01110
O	01111
P	10000
Q	10001
R	10010
S	10011
T	10100
U	10101
V	10110
W	10111
X	11000
Y	11001
Z	11010
空格	00000

答案： ZHONG JI DUI JUE, ZHU LUO JI XING QIU, BA GE QI LE